여행자의 마음

- Voyageur

ModernBooks

여행자의 마음

발　행 | 2024년 02월 29일
저　자 | 김승현, 김태희, 박정은, 은경, 임민우, 서규린, 카눙
펴낸이 | 박강산
펴낸곳 | 모던북스
출판사등록 | 2022.10.27.(제2022-144호)
주　소 | 서울특별시 동작구 흑석로 84, 108관 210호
이메일 | modernbooks_official@naver.com

ISBN | 979-11-93445-10-5

https://modernbooks.co.kr

들어가며

『여행자의 마음』에는 모던북스의 <작가가 되는 시간>을 통해 발굴한 일곱 명의 신인 소설가들의 작품이 수록되어 있습니다. 교통사고로 입원한 주인공이 내면의 상처를 회복하는 이야기를 담은 「주황색 터널을 지나면」, 평범한 일상에 들이닥친 매콤한 어느 날, 매번 스스로를 속여왔던 화자의 여정기를 담은 「공항 가는 길」이 수록되어 있습니다.

또한 죽음도 앗아가지 못한 사람의 정신, 그리고 언제나 여정의 위대한 '이유'가 되는 사랑을 소설의 모습으로 형상화한 「Dear 카얀」, 6.25 전쟁의 폐해를 겪었던 인물의 아픔을 미처 닿지 못한 편지를 통해 간접적으로 전하고 있는 서간소설 「매화나무가 피는 곳」, 매 순간 선택의 갈림길에 놓이는 우리의 모습을 단편으로 압축하여 드러낸 「선택」, 변화된 삶에 적응하고자 변화하려는 인물을 그려낸 이야기 「하얀색 캔버스」, 성장기 어느 한편에서 일어날 수도 있는 비극적 상황을 한 편의 미스터리 극으로 담아낸 「보석인형」이 수록되어 있습니다.

차　례

Voyageur

여행자의
마음

ModernBooks

주황색
터널을 지나면

김
승
현

창문 밖 하늘은 뿌연 회색빛이었다. 서연의 옆자리 침대에 앉아있는 아주머니의 머리카락은 흙 화단의 눈싸라기가 앉다 만듯 뿌리에 흰빛이 보이다 말았으며, 주황색과 노란색, 푸른색이 섞여 알록달록한 스카프를 목에 칭칭 감고 있었다. 병원이라 공기가 훈훈한데도 뭐가 추운지, 스카프를 하도 단단히 동여매서 목이 졸리는 것처럼 보였다.

"이서연 환자분, 오늘부터 하루에 한 번씩 물리치료실에서 치료받으실 거예요. 오후 3시쯤 자유롭게 다녀오시면 되고 문제있으면 데스크로 와서 말씀해 주세요."

간호사가 희고 빳빳한 환자복을 서연의 침대에 올려놨다. 서연은 침대 주위로 커튼을 쳤다. 옷을 갈아입다 공기가 꽤 쌀쌀한 것 같아 가방에서 흰 티를 꺼내 안에 받쳐입었다.

서연이 교통사고를 당한 건 오늘 새벽이었다. 서연은 아침 일찍 집에서 나와야 차가 막히기 전에 회사에 도착할 수 있었다. 그래서 언제나 7시 전후에 집에서 나와 차에 시동을 걸고 일찍 출근해 업무 준비를 하곤 했다. 그러나 해도 뜨지 않은 시간의 도로는 전날에 내린 눈과 군데군데 낀 살얼음과 블랙아이스로 엉망이었다.

내리막이 심한 사거리의 컴컴한 거리 한가운데에서 신호등 불빛에만 의지하던 때, 굉음이 서연의 차안을 뒤흔들었다. 서연은 갑작스레 악몽에서 깨어나듯 소리를 질렀다. 그 덕에 두 해 가까이 서연의 어깨에 지방 찌꺼기처럼 달라붙어 있던 '명준'이 아지랑이처럼 흩어졌다. 서연은 목과 어깨를 망치로 맞은 것 같다고 느끼며 차 문을 열고 나왔다.

추돌 사고를 낸 사람은 서연과는 반대로 퇴근하던 남성이었다. 눈가가 거뭇한 채 보험사에 대인, 대물 접수를 한 남성은 죄송하다고 사과하며 차 안에서 보험사 직원이 올 것을 기다리기를 권했다. 서연은 어깨를 움츠렸다. 그리고 운전석에서 문을 잠그고 기다리다 보험사 직원을 만나고 집에 돌아와 짐을 쌌다. 가방을 챙기는 내내 뭘 챙겨야 할지 몰라 방안을 맴돌다, 손이 차고 떨려 텀블러를 몇 번이나 바닥에 떨어뜨려야 했다.

생각나는 대로 짐을 싸고, 회사에 병가를 내고, 가까운 종합병원에 입원 절차를 밟는 몇 시간 동안 서연은 의사에게 지금당장 진통제를 달라고 애원하려는 걸 겨우 참았다. 서연의 뒷목은 점점 통증이 심해져서 만지지 않으면 불에 타고 있는 것 같았다. 입원을 기다리는 내내 목덜미를 잡아야 피부가 멀쩡하다는 걸 체감할 수 있을 정도였다.

병실에서 간호사가 혈압을 재고, 기본사항을 묻고, 서연이 먹는 약이 있는지 확인하고 나서 링거를 꽂아주었다. 서연은 그제야 조금 낫다고 생각하며 겨우 눈을 감았다.

"저 아가씨, 지금 세 신데 뭐 치료받아야 한다 하지 않았어?"

서연에게 말을 거는 듯, 다른 환자들과 대화하는 듯 옆 침대에 앉아있던 아주머니가 귤을 까며 힐끗 쳐다보았다. 서연은 아주머니의 말에, 얕은 잠에서 깨 이불을 개켰다. 서연이 잠든 사이 링거가 하나 더 매달려 있었다. 링거가 사람을 꽤 나른하게 만드는 것 같았다. 서연은 슬리퍼를 가방에서 꺼내 신고 간호사에게 물어물어 간 물리치료실에서 엎드린 채 전기자극치료를 받았다. 입원치료를 받는 제가 현실감이 없어, 서연은 이제야 회사와 가족, 연락을 끊은 친구들, 그리고 명진을 생각하기 시작했다.

명진은 대학생 시절, 대학교를 졸업하고 나서도 친하게 지냈던 동아리 선배였다. 동아리 친구들과 선배들과 술자리 할 때나 따로 약속을 잡을 때, 명진은 항상 동아리 사람들 모임에 참석하는 게 당연한 사람이었다. 동아리 중 누군가가 실연을 당했다며 사람들을 밤중에 불러 모을 때도 명진은 함께 있었다. 서연에게도 명진은 대학교 공강 때 불러 함께 식사하고 카페나 캠퍼스를 돌며 시간을 때울 만큼 편한 사람이었다.

서연이 대학교를 졸업하고 취업준비를 시작할 무렵, 명진은 동아리 사람들에게 공무원 시험을 준비하겠다고 선언했다. 서연이 수십 개, 수백 개의 회사에 서류를 넣고 면접을 보고 줄줄이 떨어질 때, 명진이 공무원 시험에 떨어질 때, 서연과 명진은 몇 달에 한 번 정도 만나 위로주를 나누곤 했다. 서연에게 명진은 편안하고 따뜻한 오빠였고, 저렇게 남만 챙기다 연애도 못 하고 평생 혼자 지낼까 걱정되는 사람 중 한 명이었다.

그 날도 언제나처럼 서로를 위해 술잔을 부딪치던 날이었다. 서연은 취업에, 연애에, 생활비에 온갖 걱정을 끌어안은 채 푸르게 웃었고, 명진은 평소처럼 서연을 위로하며 두려움을 나눴다. 서로의 아픈 시간과 미래를 응원하고 버스정류장을 향하던 중, 명진은 근처 공원에서 술을 좀 깨다 가자며 서연을 끌었다. 그리고 명진은 서연을 추행했다.

서연은 명진의 손길에 먹먹하게 굳어 아무것도 하지 못했다. 명진은 서연의 어깨를 붙잡고 벤치에 앉혀 포옹하고 입술을 문댔다. 그리고 웃옷 사이로 손을 넣어 가슴을 만지며 서연의 귓가에 뜨끈한 숨을 내쉬었다. 서연은 명진의 숨소리를 들을 때 눈에 담은, 공원에 핀 검푸른 잎사귀와 웅웅대는 소음, 해도 달도 없는 무더운 밤에 검은 낭떠러지에서 추락한 그 날을 기억했다.

"서연아."

명진이 시큼한 알코올 냄새를 풍기며 서연을 부르자마자 서연은 있는 힘껏 도망쳤다. 그리고 며칠 동안 온 집안의 전등을 밝힌 채 틀어박혀 숨어있다가 경찰에 신고했다. 경찰서에서 두어 번의 증인신문을 받고 서연이 어느 한 회사에 합격했을 무렵, 법원에서 재판이 열렸다. 명진의 변호사는 서연이 있을 곳은 회사가 아니라고 세뇌하듯, 명진이 밀었던 절벽의 끄트머리로 내몰았다.

증인은 피고인이 공원에 가자고 한 걸 기억하죠? 단둘이 술을 마시고 공원에서 산책하는 건 보통 연인들이 할 법한 데이트인데, 증인은 왜 그걸 거절하지 않았죠? 증인은 피고인이 스킨십을 하는 동안 왜 반항하지 않았죠? 흔히 말하는 '썸' 관계가 아니었습니까? 남자와 주기적으로 만났다는 건 이성적인 호감이 있다는 뜻이 아닙니까? 증인은 피고인이 공무원 준비 중이라는 걸 이용해 합의금을 달라고 협박하려는 의도가 전혀 없었습니까?

증인. 증인. 썸. 협박. 서연은 밤마다 그 두 날의 악몽을 꿨다. 알고 보니 명진이 동아리 후배들에게 서연에게 했던 것처럼 연락해 추행하려 했다는 사실을 전해 들었을 때도, 판결이 생각보다 서연에게 우호적으로 났을 때도, 그것 때문에 명진이 대학교 사람들에게 연락이 끊겼다는 것도 그저 서연을 스쳐 간 소리와 글자에 불과했다. 명진은 1년이 지난 지금까지도 서연에게 폐유처럼 끈적하게 들러붙어 서연을 오염시키고 있었다.

물리치료를 받고 병실에 돌아온 서연은 TV 소리와 아주머니들의 대화 소리로 북적북적한 침대들 사이로 제 침대를 찾았다. 마음이 한결 놓이는 듯했다. 여자들만 모인 병실이라서, 1인실을 쓰고 있지 않아서, 어두컴컴하지 않아서, 그래서 편한 거라며 괜한 이유를 대고 서연은 가만히 침대에 누웠다. 혼자 있으면 언제나 그 날의 기억들이 필름을 되감는 것처럼 반복됐고, 누군가와 함께 있으면 그 날이 반복될까 불안했다. 이 병실의 사람들은 서연에게 함께 있는 듯 없는 듯했다.

"그런데 아가씨는 어쩌다가 입원한 거야?"

"아침에 교통사고를 당했어요."

아이고, 어째. 아주머니들이 혀를 차는 소리를 들으며 서연은 가만히 아주머니들이 떠드는 소리를 들었다. 옆자리의 아주머니는 눈길에 넘어져서 뼈에 금이 갔고, 맞은편의 할머니는 골다공증이 심했다. 대각선의 다른 아주머니는 허리 디스크 때문에 수술을 한 상태였고, 온종일 누워있는 아주머니는 온갖 병 때문에 일어나는 것도 힘들다고 했다. 문득 서연은 자신이 들어오기 전부터 이 사람들이 여기 머물러 있었다는 생각을 했다. 이렇게 시답잖은 이야기를 나누면서 말이다.

"저녁 먹고 이 귤 좀 먹어요. 겨울철이라 귤이 참 달아"

여전히 스카프를 동여맨 아주머니가 서연의 협탁에 귤을 몇 개 올려놨다. 서연은 꾸벅 인사하다 불현듯 침대 밑을 확인했다. 침대 밑의 바닥은 쓰레기통 외에는 먼지 한 점도 없었다. 서연은 마음을 조금 더 놓았다.

병원의 식사는 밍밍했다. 병실의 사람들은 익숙한 듯 식사를 반만 비운 채 식판을 반납했고, 서연은 밥을 모두 비웠다. 병실의 사람들이 번갈아 가며 화장실과 휴게실을 다니는 동안, 서연은 그사이에 껴서 대강 씻고 머리끝까지 이불을 덮으며 창문을 향해 누웠다. 서연은 거칠고 흰 이불 속에서 여름밤 공원의 풀냄새와 그 어딘가에 있던 시큰한 냄새를 맡았다.

서연은 살짝 잠이 들다 부스럭거리는 소리에 깼다. 그새 병실은 불이 모두 꺼져 있었고 복도에서 불빛 한 줄기가 새어 나왔다. 그 사이로 인영 하나가 어느 침대 옆에 서 있는 모습이 서연에게 비쳤다. 서연은 이불을 걷고 슬그머니 앉았다. 꿈꾸고 일어나 다시 꿈을 꾸는 중인지, 아예 정신이 든 건지 헷갈렸기 때문이었다. 옆 침대의 아주머니가 슬그머니 서연에게 속삭였다.

"아가씨, 깼어? 왜 이렇게 놀라, 입원한 거 처음이야?"

"아, 네, 저기 누구예요?"

"누구긴 누구야, 간호사 선생님이지. 저 양반이 고혈압에, 고지혈증에, 골다공증까지 맨날 아프다 해서 간호사 선생님들이 밤마다 혈압 재러 왔다 가는 거야. 신경 쓰지 말고 자."

바람 새는 소리와 벨크로 떼는 소리가 병실 사람들의 곤한 숨소리 사이로 새어 나왔다. 서연은 다시 이불을 덮고 누웠다. 여기는 병원이었다. 서연과 여기 입원한 사람들은 환자였고, 치료받는 중이었다. 서연은 다시 눈을 감았다.

서연은 그렇게 딱 일주일 동안 입원했다. 회사에 더는 병가를 내기도 뭣했고 병원에서 약물치료와 물리치료 외에는 많은 걸 해줄 수 없었기 때문에 통원하며 다친 목 인대 상태를 지켜보자고 의사가 제안했기 때문이었다. 병실에 있는 내내 식사 때마다 아주머니들은 돌아가면서 귤과 사과 몇 조각과 장조림을 나눠주었다. 병원 밥이 너무 맛이 없어 반찬을 한가득 가져왔다며 냉장고를 열어 자랑하며 식사때마다 하나씩 꺼내던 아주머니도 있었다. 서연은 일주일 동안 귤을 열댓 개 정도 얻어먹었다. 귤은 다 자그마해서 껍질을 까기 힘들었지만 그만큼 달고 맛이 좋았다.

"그런데, 퇴원할 때 데리러 올 사람은 없어?"

"가족들이 다 지방에 있어서요. 저 여기 앞에서 버스 타면 금방 가요."

"아니면 우리 딸이 면회하러 곧 오는데, 좀 기다렸다가 차 얻어타고 갈래?"

서연은 희미하게 웃으며 고개를 저었다. 서연은 가족도, 친구도 연락한 지 꽤 되었다. 아마 회사 사람들을 빼면 다들 교통사고가 났는지조차 모를 것이다. 명진에게 추행당했던 날 이후로 서연은 겁쟁이가 되었다. 언제나 집 안에서 떨며 혼자 커피를 마시고, 식사하고, 영화를 보았다. 이제야 서연은 그 두 날 동안 생각보다 많이 다쳐서, 낫기조차 무서웠기 때문인 것 같았다고 생각했다.

일주일 전 아침 일찍 병원에 왔을 때처럼 서연은 오늘도 아침 일찍 병원을 나오게 되었다. 서연이 퇴원하고 나면 오후 늦게 다른 사람이 서연의 자리를 메울 거라고 했다. 일주일 동안 병실 사람들과 많은 대화를 나눈 건 아니었지만 서연은 그들에게 귤 한 개를 받을 때, 휴지 한 롤을 받을 때마다 마냥 무시하기 어려운, 몽글몽글하고 따뜻한 무언가를 함께 받았다. 서연은 그게 주황빛이라는 것만 느낄 수 있었다. 입원해 있던 일주일 중 언젠가 아침에 일찍 눈을 떠 보았던 달걀노른자 같은 해와 비슷하고, 작고 달콤한 귤과 닮은 것이었다. 서연은 이 침대에서 치료받을 오늘 오후의 누군가도 하루에 한 번씩 더 이런 온기를 느꼈으면 좋겠다고, 오랜만에 소원을 빌었다.

"진짜 혼자 가도 괜찮아? 무섭지 않겠어?"

"정말 괜찮아요. 그리고 당분간 차는 별로 안 타고 싶어서요."

"그래, 이 사람이 참 생각이 짧아. 교통사고 나서 입원했으면 차는 꼴도 보기 싫을 건데 자꾸 차를 타라고 애를 잡아. 얼른 짐 챙기고 퇴원해서 쉬어."

서연이 웃으며 고개를 숙였다. 일주일 동안 신었던 슬리퍼를 운동화로 갈아신고, 가방에 짐을 정돈해서 메고 나왔다. 병원 입구에서 올려다본 하늘은 타는 연기가 흔들리는 듯한 회색빛이었다. 그리고 야무지게 큰 눈이 내리고 있었다. 진눈깨비나 싸라기눈이 아닌 함박눈이었다. 서연은 밝은 잿빛 하늘에서 떨어지는 흰 조각들을 가만히 바라보다 휴대폰을 꺼냈다.

– 오랜만. 잘 지내? 조만간 만나서 밥이나 먹자.

흰 눈 하나가 머리에 얹어질 때마다 한 명씩, 서연은 엄마와 친구와 동생들에게 문자 메시지를 보냈다. 그리고 미끄러져 넘어지지 않게 조심하며 걸어 버스정류장 의자에 앉았다. 의자는 따뜻했고, 버스가 오기까지는 5분 정도 남았다. 그새 친구 한 명에게서 알림이 왔다. 서연은 가만히 휴대폰을 바라보다 전화를 받아 아무렇지 않게 서연을 찾아주는 친구와 약속을 잡았다.

　다친 목은 진통제를 먹어도 꽤 아팠지만 견딜 만했다. 곧 낫겠지. 서연은 정류장 뒤로 작게 길이 이어지는 공원을 돌아보았다. 병원 옆 공원은 꽤 소박하고 예쁜 길이 나 있는 곳이었다. 공원 길가엔 눈꽃이 어느새 살살 피어나고 있었다. 서연은 목도리를 단단히 여미고 가방을 정류장 옆자리에 내려놓았다. 눈이 다 그치고 나면 오후에 집 근처 공원으로 눈꽃 구경을 하러 가는 것도 나쁘지 않을 것 같았다.

공항
가는 길

김
태
희

"둘이 어떻게 만나게 되었는지 알아요?"

그녀가 먼저 고요한 공기를 깨트렸다. 좌회전하기 위해 아래로 내린 방향지시등이 내는 '띡똑띡똑' 소리 사이를 뚫고 나온 말이었다.

"아니요. 그쪽에서 저한테 연락해서 아내 핸드폰 통화내역에 그쪽 남편 번호가 있는 걸 확인한 게 전부예요. 그리고 다음 날 아침 바로 출국했고요. 솔직히 말하자면 둘이 진짜 무슨 사이라도 있을 만한 관계인지 잘 모르겠어요. 우리 집사람은 그럴만한 배짱이나 돈도 없는 사람이에요. 집에서 애만 키우고 내가 벌어다 준 돈 저금해서 전세대출 갚느라 옷 한번 쉽게 못사는 여자예요. 20년 동안 모은 여고 동창 여행 계 모임인가 뭔가 해서 생전 처음 여권도 만든 거라고요. 아무래도 전 그냥 다시 집에 가는 게."

"참나. 예상은 했지만, 생각보다 더 순진하시네. 내 남편은 뭐 이마에 떡 하니 '난 바람피우는 사람이니 옜다 잡아가슈' 이렇게 써놓고 다닐 거 같아요? 지금 그 동네에서만 장사한 게 10년이 넘어요. 우리 동네 사람들 나 혼자 맨날 큰소리 떵떵 치고 우리 신랑은 세상 순한 사람이라 내 비위 다 맞춰주고 사는 줄 안다고요. 그래서 가게 이름도 사모님 짬뽕이라고. 그런데 비행기? 외국? 하, 나 참 신혼여행으로 부곡 하와이 가본 게 전부예요. 여권은 생전 구경도 못 해봤어요. 맨날 내 손으로 직접 수타면 밀고 양파 깐다고 쉬는 날도 없이 일해서 겨우 가게 하나 장만한 게 이거라고요. 맨날 시장 한구석에서 주황색 포장마차에 간이의자 놓고 고생이란 고생은 다 했다고요. 내가. 그 사람은 그냥 그 곱디고운 손으로 그릇만 나르면서 사람 좋은 웃음 짓는게 다야. 남의 속도 모르고, 아주 그냥.

근데 내가 이 망할 핸드폰에서 세상에 연애할 때두 못 들어본 '사랑해~하트 이모티콘 뿅뿅' 이런 걸 봤다니까요. 어이가 없어서 정말. 근데 그 이모티콘을 받는 번호가 그쪽 부인이었다 는 말이에요. 그럼 여기서 빼도 박도 못 하는 거지, 뭘 더 생각하고 아니랄 게 있기나 해요?"

"저기, 아주머니. 아주머니가 확인하라고 해서 우리 와이프 카톡 봤을 땐 그런 대화가 없었다니까요. 이 사람 단체 메신저방이나 프로필 사진 이런 것도 딸내미가 가르쳐줘서 겨우 아는 사람이에요. 아이고 아주머니 답답하시네! 정말.

그런데 아저씨는 원래 외국에 자주 왔다 갔다 하시는 거예요?"

나는 역시나 괜히 왔다 싶은 마음에 아줌마를 원망하듯 불평을 토해냈다. 아내는 운전면허도 없어 버스나 지하철 같은 대중교통만 타고 다닌다. 그런데 난생처음 보는 이 아줌마는 1종 보통인 나도 몰아본 적 없는 트럭을 대장부처럼 떡 하니 몰고 와서는 말씀도 아주 짬뽕처럼 매콤하게 하시네. 더는 안 되겠다. 이미 서울은 벗어났으니 공항에 도착하자마자 공항버스를 타고 집으로 돌아가야겠다. 속으로 다짐하며 괜히 트럭 옆 손잡이를 꽉 다시 잡아본다.

"내 남편은 우리 병호 때문이요. 그 무거운 포장마차 수레를 아랫배에 대고 끌고 다니느라 또 맨날 쪼그려 앉아서 양파 까느라 내가 유산만 네 번을 했어요. 그런데 이 가게를 차리고 딱 임신을 했는데 이번엔 무슨 일이 있어도 꼭 낳아야겠는 거예요. 이번이 아니면 더 기회가 없을 것 같더라고. 그래서 짜장면이나 짬뽕 한 번도 안 먹고 맨날 탕수육만 먹여서 키운 게 내 하나

밖에 없는 아들 병호예요. 그렇게 금이야 옥이야 키운 내 새끼가 공부를 하고 싶다 그르대요. 근데 우리나라에선 안 되겠대. 친구들은 다 외국물 한 번씩 먹어 봤는데 자기만 짬뽕집에서 보이차나 마신다고. 어휴~ 그래서 어째. 저기 멀리 미국이나 응? 그런 데는 못 보내더라도 요기 필리핀이라도 보냈어요. 근데 요즘 따라 이 남편이란 사람이 병호가 자꾸 꿈에 나온다면서 무슨 일이 있는 거 같다는 거예요?! 그래서 내가 요즘 세상에 전화도 있고 영상통화 이런 것도 있으니까 그걸로 해보자. 했더니 그걸로는 안심이 안 되겠대. 곧 죽어도 자기가 꼭 보고 와야겠다는 거예요. 명색이 우리 가게가 사모님 짬뽕집인데 사모님이 가게를 비울 수도 없고. 우째. 여권 만들더니 쏠랑 그냥 내빼는 걸하도 이상타 이상타 해서 핸드폰 한번 열어본 게 딱! 그 카톡을 발견한 거지 내가! 하이고 의미 없는 세상. 내가 진짜 이번에 둘이 같이 선글라스 딱 맞춰서 어깨동무라도 하고 나오는 날엔 그쪽 아줌마도 내 남편도 다 죽는 거야 그냥!!"

갑자기 내 아내도 자기 남편도 죽인다는 이 사모님이라는 아줌마에게 말이 너무 심한 거 아니냐고 한마디 할 참이었다. 그런데 아직 인상을 찡그리기도 전에 입은 떼어보지도 못했는데 아주머니 눈에서 눈물이 후두둑하고 떨어진다. 어영부영 여기까지 끌려오다시피 한 나도 나지만 이 아줌마도 참 큰일이네. 아니 알고 보니 밍밍하고 연한 백 짬뽕일세. 나는 무슨 근거로 그런 말을 했는지 모르겠지만 위로라도 해야 한다는 심정이었는지 대리운전 광고나 아파트 신축분양 광고에도 그런 하트 이모티콘은 많이 나온다더라는, 내가 들어도 뜬구름 잡는 것 같은 말을 하고 있었다.

그러는 사이 우리는 공항에 도착했고 주차장에 차를 세워두었다. 도착하는 사람들이 내린다는 층 여기저기를 둘러보았다. 사실 바쁜 금요일에 맡길 사람도 없는 인쇄소를 닫고 아내를 마중 나올 생각도 없었기 때문에 몇 시 무슨 비행기인지도 몰랐다. 그냥 아줌마가 병호한테 물어놓은 아저씨 일정에 맞춰서 기다리고 있으면 된다는 말만 듣고 따라나선 것이었다. 다행히 비행기는 지연되지 않았고 우리도 제시간에 맞춰 왔으니 이제 기다리기만 하면 되는 것이다. 아줌마가 시키는 대로 우리 둘은 멀찌감치 떨어져 있다가 둘이 나오는 타이밍을 딱 맞춰 앞에 호랑이처럼 왕! 하고 나타나기만 하면 되는 거였다. 휴대전화에 통화 한번 찍힌 거 가지고 여기까지 나오는 것도 좀 뭐했지만 그렇다고 안 나오기에도 마음이 좀 찜찜할 거 같아 나오긴 했는데…. 에이, 그래도 설마…. 바람은 아무나 피나. 드라마에서 나오는 것처럼 돈 많고 예쁜 여자들한테나 있는 일이겠지….

출입문이 자동으로 열고 닫히기를 반복하면서 나도 모르게 문 안쪽에 누가 숨어 있기라도 한 듯 눈으로 열심히 아내를 찾고 있었다. 그건 짬뽕 아줌마도 마찬가지였다. 내 남편이 어느 타이밍에 누구랑 나오려나 숨은그림찾기라도 하듯 눈을 크게 뜨고 진한 쌍꺼풀 안에 눈을 바쁘게 굴리고 있었다. 찾고 싶지만 찾아지지 않았으면 하는, 하지만 또 여기까지 왔는데 찾기는 제대로 찾아야 할 것 같은 말로는 설명하기 어려운 기분이 들었다. 10분이 흐르고 30분이 흘러도 내 아내도 저쪽 아저씨도 나오지 않았다. 역시 한양에서 김 서방 찾기였나. 그냥 가자고 하기엔 아주머니 눈이 충혈될 만큼 점점 희번덕거렸다. 조금 무섭기도 하고 안타깝기도 한 시간이 느리게 흐르고 있었다.

'자기양~~~여기야 여기!' 콧소리가 많이 들어간 말투와는 다르게 우렁찬 몸짓으로 짬뽕 아주머니가 한 아저씨에게 달려나갔다. 아저씨는 짬뽕 아주머니의 빠른 속도에 몸이 뒤로 밀려 트렁크에 엉덩방아를 쿵 찧었다. 어떻게 알고 왔냐며 놀라는 남편에게 백 짬뽕 아줌마는 또 눈물이 그렁그렁해져서는 "병호가 알려줬징~~ 걱정되게 증말! 로밍도 안해가궁~~" 아니 저렇게 눈물이 많아서 평소에 양파는 어떻게 까시나 몰라. 다행히 아저씨와 어깨동무를 하고 나오는 여자는 없었다.

물론 나에게도 다행이었다. 혹시나 했던 내가 바보 같구 아무것도 모르고 동창생들이랑 쇼핑에 신나있을 아내에게 미안해졌다.

처음에 나에게 전화를 걸어 세상이 무너져가는 목소리로 만나자는 말을 하던 반쯤 죽어가는 환자처럼 힘없던 짬뽕 아주머니였다. 지금은 언제 무슨 일이라도 있었냐는 듯 이제는 둘이서 어깨동무를 하고 병호의 안부를 물으며 하하 호호 신나게 공항을 빠져나갔다. 그리 반가운 건지 아저씨는 거의 아줌마를 안고 가다시피 빠른 속도로 주차장으로 가버렸고 아저씨 손에서 떨어진 비행기 티켓이 바닥에 덩그러니 떨어져 있었다.

나에겐 잘 가라는 인사 한마디도 없는구먼. 허허. 하긴 '여보! 이쪽은 자기가 바람났을까 봐 데리고 온 증인이에요. 그 여자랑 같이 들어오면 이 자리에서 아주 이혼 도장을 찍어버리려고 같이 온 그 여자 남편. 서로 인사들 하세요.' 이렇게 소개를 할 상황도 아니긴 했다. 타본 적도 없는 버행기 티켓을 집어 들며 나는 피식 웃었다. 이렇게나 비행기도 많고 나라도 많은데 무슨. 뜻을 알 수 없는 알파벳 몇 개와 숫자만 드문드문 쓰여있는 종이는 어디를 가고 뭘 어떻게 타라는 건지 나처럼 항공권을 처음 보는 사람은 알아보기에도 힘들었다.

짬뽕 아줌마 말대로 아저씨는 인상이 좋았다. 미리 얘기도 없이 공항까지 나온 부인에게 당황하면서도 허허 웃는 모습이 얼핏 봐도 젊었을 적 여자깨나 울렸을 법한 인상이었다. 에이. 그런데 우리 마누라 스타일은 아니었다. 그러기엔 키도 나보다 작고 배도 좀 퉁퉁하니 나오셨더구먼. 내 아내는 나처럼 쌍꺼풀 없는 눈에 날렵해 보이는 스타일이 좋다고 했다. 요즘 배우로 치면 류준열이라나 뭐라나.

아무튼, 이제 나도 안심이다 싶었다. 살면서 이것도 재미있는 인연이었는데 짬뽕집 주소라도 물어볼 걸 그랬나. 사모님 짬뽕이라고 했으니까 검색해보면 나오려나. 그나저나 집에는 공항버스를 타고 가야겠다. 우리 동네까지 가는 게 있으려나. 공항버스 이거 비싸다던데.

어이쿠 야. 무슨 버스표가 16,000원이나 한대. 이게 제본 몇 장 값이야.

버스표를 사서 공항 밖으로 나오려는 찰나, 뒤에서 익숙한 목소리가 들렸다.

"먼저 나와서 커피 사놓는다더니 어디 간 거야?"

이십 평생을 들어온 목소리. 커피 대신 A4 용지 기준으로 얼마라는 말이 훨씬 익숙한 목소리. 마누라였다. 물에 흠뻑 젖은 긴치마를 털며 혼잣말을 하는 아내가 나오고 있었다. 본 적도 없는 홍해 바다가 갈라지듯 자동문이 양쪽으로 좌악 열리면서 아내가 나타나 버렸다. 옆에 있던 아기 엄마는 여신 미안하다는 말을 하며 아기 입에 묻은 우유를 닦아내고 있었고 아내는 괜찮다고 말하며 눈으로는 누군가를 열심히 찾고 있는 듯했다. 마치 10분 전에 내가 자동문을 쳐다보며 그랬던 것처럼.

이런 우연이 있을 수 있는 건가. 하필 그 짬뽕 아저씨가 나온

출구로 내 마누라가 나오고, 같이 있어야 할 동창들은 다 어디에 두고 혼자 생전 처음 보는 긴 치마를 입고 서 있는 것인가. 불편하다며 바지만 입던 사람은 어디로 가고.

심장이 너무 빠르게 뛰었다. 내 심장에서 왈칵왈칵 피를 뿜는 소리가 들리는 듯한 기분이었다. 이유는 모르겠지만 선뜻 '혜선 엄마!'라고 부르며 앞에 나서질 못했다. 오히려 눈에 띄지 않게 카트가 겹겹이 쌓여 잔뜩 모여있는 의자 뒤로 나도 모르게 몸을 숨겼다. 내가 왜 숨고 있는 거지? 그냥 나가서 혜선엄마한테 짬뽕 아저씨를 아느냐고 물어보면 될 것 아닌가. 어울리지도 않는 치마는 왜 입고 있는지, 누구를 잃어버렸길래 생전 본 적 없는 애타는 눈빛으로 찾고 있는 건지.

머리는 그러라고 하는데 몸이 움직여지지를 않았다. 나가서 아내 얼굴을 마주하는 순간 침 먹은 지네처럼 입이 꾹 다물어질 것만 같았다. 거짓말을 하면 투명한 월남쌈처럼 다 보이는 여자였다. 그러고 보니 동창 여행을 간다는 것도 한창 인쇄소가 바쁜 월요일 오후에 인쇄기 카트리지를 갈아끼며 내 눈은 쳐다도 보지 않고 말소리만 들렸을 뿐이다. 난 출고일에 맞춰 내보내야 할 새로 오픈하는 학원 전단지 때문에 정신이 없었고 끊임없이 돌아가는 기계 소리에 대충 알았다고만 대답했다. 우스갯소리로 곰국이나 끓여놓고 가라고 농담으로 한 말에 진짜 사골곰탕을 한 솥 끓여놓고 가는 여자였다. 누린내가 싫다고 하는 혜선이한테 욕먹어가며 내가 다 마신 곰탕이었는데.

남자가 바람을 피우면 안 사오던 꽃다발에 목걸이를 사준다던데 여편네가 바람을 피우면 곰탕을 끓여주나 보다. 이런 우라질. 어쩐지 매번 싸구려 미국산 잡뼈만 사다가 이번에는 한우꼬리뼈를 사는 게 이상하다 싶더라니. 평생을 똑같은 종이만 찍어내는 복사기 같은 인생은 살기 싫다고 인쇄소 차리는 걸 그렇게 싫어하더니 그래서 찾은 게 이삿날이나 졸업식 날에 먹는 짬뽕이냐? 에라이.

아니다. 이럴 계획으로 짬뽕 아줌마 차에 타고 공항에 온 건 아니었다. 이럴 땐 유일하게 챙겨보는 TV 프로그램 '명의'에서 본대로 심호흡을 크게 세 번 해야 한다. 스읍~하~스읍~하~ 이럴 때일수록 정신을 차리라고! 최성문!! 짬뽕 아줌마의 요란한 걱정과 의심에 나까지 잠시 이성을 잃은 것뿐이다. 기왕 동창생들하고 여행가는 거 사진도 찍고 예쁘게 보이려고 치마를 입었겠지. 인쇄소를 돕느라 화장 한번 제대로 못 하는 신세가 안 그래도 마음에 걸렸는데 저렇게 곱게 화장하고 차려입으니까 역시 예쁘네. 누구 마누라인데 그럼. 그렇게 고운 치마에 처음 보는 애가 토를 했는데도 웃으면서 괜찮다는 이런 착한 여자가 바람은 무슨 바람이라고. 이 동창이란 사람들은 커피를 어디서 사서 오길래 내 마누라를 저렇게 기다리게 하는 거야? 물색없이 마중 나온 주책바가지 남편으로 동창들 앞에서 창피를 줄 순 없으니 얼른 자리를 피해 주어야겠다. 시간이 한참 지나버린 버스표를 다음 시간으로 바꾸려니 출발시각이 지나서 안 된다고 한다. 아까워하지 말자. 안전하게 잘 온 거 확인했으면 그걸로 된 거지.

아차, 급하게 나오느라 현금을 따로 챙기지 않았더니 2000원이 모자라다. 버스 기사가 카드도 된다는 말에 얼른 비상용 카드를 찍고 버스에 올라탔다.

집으로 가는 공항버스에서 기절하듯 잠들어버렸다. 앞에 사람이 하는 걸 따라서 버튼을 누르고 의자를 뒤로 눕히니 인쇄소에 있는 10년 넘은 삐그덕 소리가 나는 의자보다 훨씬 편하다. 괜히 혼자 오금을 저렸다가 화를 냈다가 걱정했다가 했더니 버스에서 긴장이 풀렸나 보다. 한숨을 자고 버스에서 내리니 하루가 벌써 반나절이 넘게 가버렸다. 빨리 밀린 작업을 해야겠다. 바로 가게로 가서 바닥에 있던 셔터를 드르륵 올렸다. 익숙한 잉크 냄새가 올라온다. 상가 약국에서 봉투를 주문했으니 환자가 몰리는 내일 토요일 전에 얼른 마무리해야겠다. 혜선이에게 엄마가 집에 왔다는 메시지가 왔지만, 답은 하지 않았다. 봉투 주문 수량을 맞추고 풀리지 않게 끈으로 사방을 꽉 묶어 약국 앞에 가져다 놓았다.

"아빠! 왜 이제 와?! 엄마가 필리핀에서 우리 먹으라고 말린 망고랑 코코넛 칩 엄청 많이 사 왔어. 내 여드름에 좋다고 노니 비누도 사 왔다. 부럽지?"

"여보, 왔어요?"
아까 공항에서 입었던 긴 치마 대신 무릎이 뼈처럼 튀어나온

추리닝 바지에 초롱초롱하던 눈은 어디에도 없고 자다 깬 뿌연 눈으로 나를 물끄러미 쳐다본다. 겨울이라 봄꽃 알러지도 아닐 텐데 눈이 살짝 부어 보인다.

"응. 상가 약국에서 추가 주문을 하는 바람에 일이 좀 늦었네. 잘 다녀왔어? 망고는 뭐하러 사와. 그 돈으로 먹고 싶은 거나 더 사 먹고 오지. 피곤할 텐데 어이 자. 응? 고생했네. 비행기 타느라."

옷을 갈아입으려고 들어 온 안방에는 아직 정리하지 못한 짐들이 늘어져 있었고 화장대에는 여권이 그대로 올려져 있었다. 여권 사이에 삐죽하게 나와 있는 항공권이 보였다. 비행기 티켓을 보니 아까 공항에서 주운 주머니에 있는 짬뽕 아저씨 항공권이 생각났다. 무심코 구겨 넣었던 항공권을 건조한 손으로 빳빳하니 잘 보이게 힘주어 펼쳐 보았다. 공항에서는 정신도 없고 영어랑 숫자가 뒤섞여서 무슨 말인지 알아보기도 힘들었는데 다시 보니 볼펜으로 동그라미 쳐져 있는 시간이랑 좌석표 같은 게 보였다.

Philipplne Airlines (필리핀 에어라인)

ICN -> KLO 14:25 24E

앞에 있는 인천의 약자는 알겠는데 케이, 엘, 오? 핸드폰을 꺼내 포털 사이트 검색창에 평소 쓸 일도 없는 영어 타자를 어색하게 드문드문 찾아서 알파벳을 쳐본다. 'KLO 공항' 칼리보 국제공항이라고 나온다. '필리핀 아클란주의 칼리보 지역을 커버하는 국제공항. 대한민국에서는 보라카이 여행 시 목적지로 사용되는 공항으로 알려져 있다.' 보라카이라. 어디서 들어본 것 같긴 한데 언제였더라. 굳이 내가 갈 것도 아닌데 다른 나라 섬 이름까지 알아야 하나 해서 귓등으로 흘려들은 것 같은 느낌은 얼핏 드는 것 같다.

아! 그때구나. 아내가 혜선이 중학교 졸업하는 기념으로 고등학교 입학하기 전에 가족 다 같이 해외여행이라도 한번 가자고 했었다. 옆에 있던 혜선이도 자기네 반에서 해외여행 한번 안 가본 애는 자기밖에 없다며 생전 안 하던 팔짱을 끼고 매달리며 애교를 부리던 기억이 난다. 고등학교 들어가면 방학 때도 학원 특강을 다녀야 한다면서 이삼일 빠지는 것도 힘드니 지금이 마지막 기회라고 했었다.

나는 혜선이 고등학교 입학 전 주말에 토요일 하루 인쇄소를 닫고 가족들을 데리고 포천 산정호수에 놀러 갔다. 어차피 같은 지구 안에서 사람 사는 게 거기서 거기지 뭐. 필리핀인가 보라카이인가 바다 건너에만 에메랄드빛 바다가 있을 것도 아니지 않은가. 탁 트인 시원한 데서 산도 보고 물도 볼 수 있는 데가 이렇게나 가까이 있는데 뭐하러 그 비싼 비행기를 타고 멀리까지 가서 고생을 하나 싶었다. 영어 점수도 맨날 뒤에서 꼴찌를 겨우 면하는 딸내미 아니던가. 따끈따끈하고 고소한 빙어 튀김도 먹고 붕어빵도 사주겠다며 혜선이를 꼬셨다. 저기 위에 올라가면 튜브 썰매도 있으니까 신나게 타고 오라며 보라카이에는 이런 것도 없을 거라고 뿌듯하게 자랑하며 말했다. 혜선이는 자기가 무슨 초등학생인 줄 아느냐고 소리를 빽 하니 질렀고, 혜선엄마는 아무 말이 없었다. 대가리부터 꼬리까지 통으로 튀긴 빙어 튀김을 보고는 새끼빙어랑 눈이 마주쳤다며 징그러워서 못 먹겠다고 테이블 옆에서 웩하는 혜선이 덕분에 나 혼자 쌀막걸리 한 사발과 큰마음 먹고 시킨 빙어 튀김 대자 한 접시를 다 먹었다. 어째 혜선엄마도 빙어 튀김은 손도 안 대고 막걸리만 홀짝홀짝 마셨더랬다. 아니 이거 분위기가 영 서운한 게 돈 쓴 보람이 없었다. 내 딴에는 가족 여행이라 기분 낸다고 세탁소 박 씨 고등학교 동창한테까지 연락해서 어렵게 펜션까지 예약했는데 말이다. 성수기라 25만 원이라는 걸 깎고 깎아서 안 된다는 걸 겨우겨우 부탁해 19만 원에 예약한 건데 거 참 너무들 하는구먼.

그렇게 보라카이는 우리 가족이랑은 상관이 없는 곳이었다. 아내 여권에 끼인 항공권은 뭐라고 쓰여 있는 어디로 가는 비행기 티켓이였을까. 무엇을 확인하고 싶었던 건지 단순한 호기심에서였는지는 나도 잘 모르겠다. 남편이 돼서 그 정도는 궁금할 수 있지 뭐. 그서 여권 사이로 항공권이 나와 있으니 스윽 한번 빼보았을 뿐이다.

Philippine Airlines (필리핀 에어라인)
ICN -> KLO 14:25 2XXX

아내의 항공권 끝부분이 젖어 잉크가 번지고 종이는 흐물거렸다. 아, 아까 공항에서 옆에 있는 아이가 토한 걸 닦다가 항공권까지 젖어 버린 것일까. 필리핀 에어라인도 보라카이에 간다는 칼리보 국제공항도 거기에 오후 2시 25분이라는 시간도 짬뽕 아저씨 항공권과 똑같은데 제일 중요한 좌석표가 희미하게 잘 안 보인다. 손으로 물기를 닦으면 제대로 보이려나 자꾸 닦으니 그럴수록 종이가 더 뭉개져 결국 좌석 번호가 있던 끝부분이 찢어져 그대로 버리고 말았다. 너무 힘주어 밀었는지 종이에 손가락이 베어 피가 얇은 선처럼 올라왔다. 그러지 말았어야 했는데. 종이로 먹고산다는 사람이 그렇게 세게 종이를 만져 피가 나게 하지 말았어야 했고 화장대에 있던 아내 항공권을 보지도 말았어야 했으며 그 짬뽕 아저씨 비행기 티켓은 그냥 바닥에 떨어진 채로 두고 왔었어야 했다. 아니, 짬뽕 아줌마가 전화했을 때 핸드폰을 공짜로 바꿔준다는 스팸 전화처럼 바쁘다는 핑계로 끊어 버리거나 아니면 공항에라도 나가지 말았어야 했을지도 모르겠다. 어디서부터 하지 말았어야 했던 걸까. 끝까지 확인할 수 없는 비행기 좌석 번호는 그냥 지나치기엔 무언가 찝찝한 것이 영 개운치가 않다. 손에 닿을 수 없는 곳에 기분 나쁘게 깊숙이 박혀 뺄 수도 없는 생선 가시처럼 명치가 꽉 조여왔다. 부엌에 있던 시원한 박하향이 나는 소화제를 먹고는 벌렁 누워 버렸다.

내일은 평소보다 인쇄소에 조금 일찍 나가야겠다. 파쇄기에 돌릴 게 많다.

*

　제일 구석에 있는 2인용 작은 테이블에 앉으니 터키나 이집트 사람처럼 보이는 눈썹이 진하고 제법 한국말을 잘하는 외국인 여자가 주문을 받으러 왔다. 그냥 짬뽕 한 그릇을 달라고 했는데 매운맛에 단계가 있다며 천국의 맛 백짬뽕부터 지옥불 맛 홍짬뽕 중에 선택해야 한다고 했다. 적당하게 애매한 중간 맛 짬뽕을 주문했다. 겨울에 마시는 중국집 따뜻한 보이차는 향이 더 풍성했다.

　아내가 집 앞 마트에서 돼지고기 할인을 하는 날이라며 평소보다 먼저 일찍 들어간 날, 인쇄소에 혼자 남아 핸드폰을 열어 '사모님 짬뽕'을 검색해보았다. 서울시 양천구 신월동. 주소는 물론이요, 휴무일과 오픈 시간까지 자세히 나와 있었다. 아내에게는 고등학교 동창 모임이 있다는 핑계를 대고 나왔지만, 갑자기 무슨 일인가 긴가민가한 눈치였다. 결혼 생활을 하는 20여 년 동안 동창 모임에 한 번도 나간 적이 없는 나였기 때문이다. 몇십 년 만에 나가는 동창회인데 옷이라도 제대로 챙겨입고 가라더니 아내는 결혼 10주년에 산 적갈색 위아래 정장 세트에 하얀색 셔츠를 다리고 넥타이까지 골라났지만 상관없었다. 무심하게 모자를 눌러쓰고 바람막이 잠바를 목까지 올리고는 집을 나섰다. 한번은 와보고 싶었다. 한번은 내 눈으로 다시 보고 싶었다.

'땡그랑~'

중국집 출입문에 달린 종소리에서 분수처럼 흩어지는 종소리가 인상적이었다. 문을 등지고 있던 나는 청량한 종소리에 무심코 출입문을 바라보았다. 거기엔 등산용 모자에 거북이 등껍질처럼 딱 달라붙는 등산용 배낭을 메고 빨간색 등산 스틱을 짚고 있는 짬뽕 아저씨가 있었다. 두꺼운 바닥으로 된 등산용 신발을 신어서인지 공항에서 봤던 것보다 키는 좀 더 커 보였고 턱살이 두툼하니 살은 한 달 전보다 조금 더 찐 모양이다.

"여봉~ 이제 왔엉? 아유~ 날이나 좀 풀리면 가지. 백날 천날 주야장천 거기 붙어 있는 산은 뭐하러 일요일마다 가는 거래요. 없어지거나 어디 날아가는 것도 아니구먼. 세상에 볼이랑 귀까지 얼었네. 얼른 와서 따뜻한 것 좀 마셔요. 응?"

주방에서 달려 나온 짬뽕 사모님은 공항에서 남편에게 거의 안기다시피 달려나간 그 모습 그대로 출입문 앞에 서 있는 남편에게 달려갔다. 평안하구나. 짬뽕집 아주머니도 아저씨도 공항에 다녀왔던 날 이전과 다를 거 없이 하루하루 일상을 지내고 있는구나. 바쁜 점심시간에 배달까지 밀려있는 주말, 중국집 홀에 혼자 앉아있는 남자를 신경 쓰는 사람은 아무도 없었다. 나는 주문한 짬뽕이 나오기도 전에 슬쩍 가게를 나와 버렸다. 눈썹이 진한 외국인 아르바이트생은 뜨거운 김이 훅 올라오는 짬뽕을 내려놓지도 못하고 다시 가져가지도 못한 채 빈 테이블만 바라보고 있었다.

동창 여행을 다녀온 후로 아내는 등산을 가지 않았다. 지하에 있는 인쇄소에서 답답한 공기에 하루마다 조금씩 더 푸석해지는 얼굴, 햇빛 한번 못 보고 사는 죄수처럼 너무 허연 게 보기 싫어서 내쫓듯이 가보라고 한 등산이었다. 혼자 가기 어색하다며 같이 가자는 마누라에게 그럼 급하게 들어온 주문은 누가 받을 거냐며 가게를 지키겠다고 한 건 나였다. 그냥 길도 잘 못 찾는 사람이 한번 다녀본 적도 없는 등산로에서 길을 잃거나 넘어지면 큰일이니 등산 모임 같은 데서 아줌마들이랑 같이 다니라고 한 게 나였단 말이다. 취미든 뭐든 꾸준히 좀 해보라고 옆에서 잔소리하던 나에게 어울리지 않게 미간을 잔뜩 찡그리며 왜 자꾸 나가라고 하냐며 너무 춥다고 더는 산에 가지 않겠다고 했다. 정말 추운 줄 알아서였다.

평소 잘 입는 바람이 잘 통하는 반팔 윗도리 3개와 반바지 2개를 챙겼다. 운동화를 신고 나왔지만, 양말을 신지 않고 맨발로 편하게 신을 수 있는 슬리퍼도 한 켤레 넣었다. 혜선이가 중학교 때 수학여행에 다녀오면서 사다 줬는데 생전 쓸 일이 없었던 선글라스도 챙겨왔다. 그곳이 전기는 몇 볼트를 쓰는지 돈은 달러를 쓰는지 우리나라 돈도 받아주는지 모르지만 괜찮다. 우선 가서 필요한 게 있으면 해결해볼 생각이다. 인터넷으로 항공권을 끊을 수 있다고 하는데 아무리 뒤져도 방법은 모르겠고 그렇다고 혜선이에게 물어볼 수도 없는 노릇이니 우선은 공항에 가볼 생각이다.

Philippine Airlines (필리핀 에어라인)
ICN -> KLO 14:25 24F

노란 포스트 잇 종이에 적어놓은, 어쩌면 내 아내가 탔었을지도 모를 이 비행기 좌석에 타보려고 한다. 공항으로 가는 버스 티켓을 사고, 뭐라 설명하기 애매하지만 묘하게 두근거리는 기분으로 나는 버스를 기다리는 중이다.

Dear

카 얀

박
정
은

붉게 타오르는 노을이 홍콩의 전역을 물들여 갔다. 노을처럼 빨
갛고 긴 머릿결을 가진 25살 올리비아는 자신이 앞으로 지내게 될
홍콩 성완의 작은 아파트 룸 창가에 홀로 기대어 거리를 내려다보
고 있었다. 올리비아는 낯선 거리 풍경을 보면서 마치 마법의 상자
를 열어 본 듯 온몸으로 희열을 느꼈다. 방안에는 아직 열어보지
못한 오늘 런던에서 가져온 두 개의 커다란 여행 가방이 벽에 기대
서 있었다. 올리비아는 여전히 그것들을 무심히 지나쳐 침대로 다
가갔다. 그리고 침대 위에 놓아둔 핸드백에 손을 뻗어 그 속에서
굳게 동봉된 낡은 편지 봉투 하나를 꺼내었다. 그녀는 편지 봉투를
손에 쥔 채 잠시 생각에 빠졌다.

'에드워드 삼촌, 제가 꼭 찾아낼게요. 약속해요.'

올리비아는 조금 더 편지 봉투를 바라보다 다시 조심하게 핸

드백 속으로 넣어두었다. 그리고 침대에 기대어 앉아 노트북을 열어 내일부터 자신이 신입기자로 일하게 될 영국 미디어 더 그 라운드 지의 홍콩 지사 기사들을 살펴보았다. 영국 기사들과 다소 다른 이곳의 이국적인 이야기들을 읽어 내려가다 보니 '홍콩'이라는 이 먼 타국이 언제부터 올리비아에게 중요해진 건지 그녀는 오래된 과거의 조각들을 기억 속에서 끄집어냈다.

***

올리비아의 막냇삼촌 에드워드는 90년대 당시 더 그라운드 지의 기자로 홍콩으로 파견되어 잠시 살았었다. 그리고 1999년 홍콩이 중국으로 반환된 지 2년 후 다시 영국으로 돌아오게 되었다. 에드워드가 영국으로 돌아오고 얼마 뒤 올리비아가 태어났다.

올리비아는 에드워드와 노래를 부른다든지, 책을 읽는다든지 무언가를 함께 했던 기억이 전혀 없다. 그녀가 세상을 인지하게 된 어느 순간부터 에드워드의 사망선고가 내려진 순간까지 에드워드에 대한 기억은 그저 그가 병원 침대에 누워 깊은 잠에 빠진 모습이 전부였다. 꼬마소녀 올리비아가 가족들과 병문안을 갈 때마다 그녀의 아버지는 자신의 삼 형제가 어릴 적 함께 모험하고 장난쳤던 이야기를 올리비아에게 들려주었다. '에드워드는 우리 삼 형제 중에서 가장 영특한 아이였어. 막히는 일이 생길 때마다 정말 기적처럼 그 일들을 해결해 나갔지. 마치 에드워드는 자신이 가진 카드들 속에 조커카드가 여러 장 있는 사람 같았단다.' 그리고 올리비아의 아버지는 이야기 끝에 항상 '에드워드가 깨어난다면 너를 무척이나 사랑했을 거야'라고 마무리를 했다. 올리비아도 에드워드에 관한 이야기를 무척이나 좋아했다. 어린 올리비아가 상상하는 에드워드는 용감하고 모험을 좋아하는 사람이었다. 그리고 가족들 중에서 유일하게 에드워드와 자신만이 머리 색이 빨간색이었기에 올리비아는 에드워드에게서 큰 유대감을 느꼈다. 하지만 그녀는 자신이 좋아하는 에드워드가 왜 침대에 누워서 잠만 자는지 항상 궁금했다. 에드워드에게 사망선고가 내려지기 얼마 전 올리비아의 아버지는 그녀에게 에드워드가 영국으로 돌아온 뒤 얼마 안 되어서 교통사고로 식물인간이 되었고, 10년간 병원에서 연명치료를 받다가 이제는 하늘나라로 돌아갈 것이라고 설명을 해줬다.

에드워드의 장례식을 모두 마친 가족들은 그의 유품을 정리하기 위해 삼 형제가 어릴 적 함께 살던 올리비아의 조부모 집에 다시 모였다. 10살이었던 올리비아도 그곳에 함께 동행했었다. 올리비아는 창고 구석 소파에 앉아 어머니가 짜준 니트 가방 안에서 자신처럼 빨간 머리의 인형을 꺼내어 1인 극놀이를 하고 있었고, 어른들은 에드워드와의 추억을 마치 그가 살아서 이 창고에 같이 있는 듯 생생하게 서로 나눴다. 그리고 그들은 에드워드가 홍콩으로 가면서 부모님께 맡기고 갔었던 물건들과 갑작스럽게 그가 병원에 입원하게 되면서 그때 잠시 머물렀던 아파트에서 가져다 놓은 그의 물건들을 하나씩 찾아냈다.

올리비아 아버지가 여기저기서 찾아낸 에드워드의 물건들을 하나씩 조심스레 바닥에 내려놓는 동안, 작은 삼촌 노아와 올리비아의 조부모는 그들이 간직하고 싶은 사진들과 물건들을 천천히 골라냈다. 그때 집안 부엌에서 시원한 레모네이드를 준비한 올리비아 어머니가 창고에 있는 가족들에게 잠시 쉬어 가라며 부르는 소리가 선명하게 들렸다. 올리비아 어머니의 목소리에 어른들은 한 두 명씩 자리에서 일어나 집 안으로 다시 들어갔다. 올리비아도 아버지의 손짓에 따라 어른들을 뒤따라 집안으로 들어가려고 할 때였다. 누군가가 자신의 발목을 잡기라도 하듯 어떤 물건에 그녀의 발이 부딪혀 그 자리에서 걸음을 멈춰 버렸다. 올리비아는 그 순간을 생생하게 기억한다. 올리비아는 자신을 멈추게 한 것이 무엇인지 확인하기 위해 다리 아래쪽을 호기심이 가득한 눈으로 살펴보았다. 그곳에는 자신이 들고 있는 니트가방과 사이즈가 비슷한 낡은 가죽 서류가방이 놓여 있었다. 올리비아는 그 자리에서 쭈그리고 앉아 서류가방을 살짝 열어보았다. 그곳에는 에드워드가 썼을 것이라 예상되는 기사 원본들이 들어져 있었다. 하지만 어린 올리비아의 눈을 사로잡은 것은 따로 있었다. 원본서류들 위에 놓인 한 통의 편지 봉투였다. 올리비아는 조심스레 편지봉투를 꺼내어 보았다. 지금까지 본 적 없는 이국적인 용 모양의 금박 테두리가 인상적인 편지 봉투였다. 편지봉투는 누군가가 열어본 적 없는 듯 굳게 밀봉되어 있었다. 올리비아가 편지 봉투에 한참 심취하고 있을 때 집안에서 올리비아를 찾는 어머니의 목소리가 다시 들려왔다. 올리비아는 급하게 주변을 잠시 두리번거린 뒤 아무도 없음을 확인하고선 자신의 눈을 사로잡았던 편지 봉투를 니트 가방에 재빨리 넣어버렸다.

그날 밤 올리비아는 부모님이 모두 잠든 뒤 자신의 방안 침대에 앉아 니트가방 속에 들어있던 편지 봉투를 조심스럽게 꺼내보았다. 여전히 용 모양의 금박 테두리가 제일 먼저 눈에 들어왔다. 올리비아는 작은 검지손가락을 가져다 마치 살아있는 동물을 만지며 교감이라도 하듯 용을 세심하게 만져보았다. 편지 봉투 겉면에는 모두 영문으로 써져 있었는데 보내는 사람은 에드워드였고, 수신인은 지금까지 들어본 적 없는 이름이었다.

'카얀'

카얀은 누구의 이름일까? 이 편지 한 통은 그녀의 수많은 호기심을 자극하기에 충분했다. 캬얀이라는 이름 아래는 어딘가의 주소가 적혀 있었고 마지막 부분에 명확하게 홍콩이라고 써 있었다. 올리비아는 아무도 모르게 이 편지를 가져온 일에 대해 에드워드 삼촌과 자신 사이에 첫 비밀이 생긴 것이라고 느껴져 묘한 기분이 들었다.

'아마 아까 내 발을 멈추게 만든 건 에드워드 삼촌이었을 거야. 삼촌이 왜 그랬을까?'

올리비아는 그때 에드워드가 처음이자 마지막으로 자신에게 이 편지를 주인에게 전해달라고 부탁한 것이 아닐까?라는 생각이 들었다.

***

올리비아는 창문을 통해 들어오는 아침 햇살을 맞이하며 잠에서 깨어났다. 그녀가 눈을 비비며 자리에서 일어서자 창문 밖으로 홍콩의 낡은 건물들이 먼저 눈에 들어왔다. 그리고 이내 자신이 이제는 홍콩에 살고 있다는 걸 새삼 깨달았다. 올리비아는 바로 욕실로 달려가 샤워를 한 뒤 거의 반평생 꿈꾸었던 홍콩에서의 첫 아침식사를 하기 위해 거리를 나섰다.

올리비아가 아파트에서 가까운 딤섬식당으로 들어서자 사람들이 올리비아의 빨간 머리를 힐끗힐끗 한 번씩 쳐다보았다. 올리비아는 이런 상황이 익숙한 듯 아무렇지도 않게 낯선 사람들이 앉아 있는 커다랗고 둥그런 테이블로 다가가 빈자리에 자리를 잡았다. 대학교 때 부전공으로 공부했던 광둥어 실력을 이제서야 발휘할 때가 왔다. 올리비아는 메뉴판을 들고 선 자신 있게 딤섬요리를 주문을 했다.

그녀의 도전적이고 성공적이었던 첫 아침식사가 끝나자 그녀는 만족스럽게 더 그라운드 지 홍콩 사무실이 있는 센트럴로 향했다. 그곳에는 생각보다 작은 오피스가 그녀를 기다리고 있었다. 이 오피스에는 편집장도 이제는 존재하지 않았고, 본사와는 이메일과 화상회의로 소통하는 자택근무 프리랜서 기자들이 주를 이루었다. 사실 올리비아도 1년 계약을 하고 온 상황이었다. 거대한 환영식은 기대하지도 않았지만 최소한 자신에게 환영 인사를 건네주는 사람들은 있을 거라 기대했었다. 하지만 그나마 사무실에 있는 몇 안 되는 사람들은 작은 테이블에 앉아 마감기사를 쓰기에도 바빠 보였다. 올리비아는 어릴 적 아버지가 들려주었던 에드워드의 홍콩 사무실 이야기와 사뭇 대조되는 상황에

당혹스럽긴 했지만 홍콩에서 에드워드 삼촌처럼 일 할 수 있다는 사실만으로도 자부심이 느껴졌다. 올리비아도 사무실 구석 작은 테이블에 앉아 노트북을 켜고 일을 시작하였다. 앞으로 자신이 인터뷰해야 하는 사람들의 리스트를 정리해 나갔다. '홍콩을 대표는 하는 사람들'이라는 주제로 올리비아는 시리즈 물로 기사 스케줄을 예정했다.

어느새 집중하여 일을 하다 보니 퇴근시간이 다가오자, 올리비아는 짐을 챙겨 곧바로 지하철로 향했다. 그리고 홍콩에 오기 전부터 계획했던 대로 편지봉투에 적혀있던 주소지를 찾으러 나섰다. 이미 인터넷에서 주소지가 아직 존재한다는 사실을 알고 있는 올리비아는 조금 떨리는 마음으로 구룡지역 거의 끝부분에 위치한 췬완역으로 향하는 전철표를 구매했다.

올리비아는 플랫폼에 서서 홍콩의 지하철 안을 꼼꼼히 살펴보았다. 열차가 도착하자 그녀를 반갑게 맞이하듯 문이 활짝 열렸다. 그녀가 탑승을 하자 열차 안 사람들이 그녀의 빨간 머리 결에 한 번씩 눈길을 주었다. 올리비아는 여전히 사람들의 시선에 신경 쓰지 않고 낯선 환경들이 신기한 듯 주변을 두리번 거렸다. 문득 아버지의 말이 떠올랐다. '너의 머리색깔은 우리 가족 선조들에게서 물려받은 거란다! 오직 몇 명의 선택받은 후세들만 가질 수 있는 아주 특별한 색깔이지!' 이 세대에서 선택을 받은 그 후세가 바로 자신과 에드워드 삼촌이었다. 물론 에드워드는 더 이상 이 세상에 없지만.

30분이 지나자 열차가 췬완역에 도착하였다. 올리비아는 마을

버스를 타기 위해 급하게 열차에서 내려 전철역을 벗어났다. 지금까지 타 본 적 없는 마을버스 안, 덜컹덜컹 몸이 흔들리지만 올리비아는 앞사람과 눈이 마주치자 괜히 피식 웃음이 나왔다. 잠시 뒤 올리비아는 창 밖으로 보이는 높은 회색빛의 오래된 홍콩 식 아파트들에 넋을 놓았다. 정말 저런 곳에도 사람들이 살 수 있을까? 싶을 정도의 높이와 그에 반해 촘촘히 붙어 있는 낡은 창문들을 보면서 카얀이 저곳 어딘가에 반드시 있기를 간절히 바래 보았다. 마을버스가 마지막 역에 도착하였다. 올리비아는 작은 의자에서 일어나 마을 버스에서 내리자마자 크게 기지개를 폈다. 그리고 그녀 앞의 낡고 허름한 작은 가게에 눈길이 자연스럽게 머물렀다. 아주 오래된 가게처럼 겉모습은 금방이라도 무너질 듯했지만 여전히 장사를 하는 듯 보였다.

올리비아는 핸드폰으로 내비게이션을 켜서 자신이 찾던 집이 바로 이곳에 있음을 다시 확인했다. 올리비아는 10살 때부터 간직해온 편지의 주인공을 곧 만날 수 있을 거라 생각하니 가슴이 쿵쾅쿵쾅 뛰기 시작했다. 카얀이라는 사람을 만났을 때를 상상해보았다. 대학교 1학년 때 홍콩 유학생을 통해서 카얀이 여자아이 이름이라는 것을 알게 되었다. 카얀이 에드워드의 애인이었을까? 라는 생각도 해보았고, 카얀이 에드워드의 중요한 홍콩 비즈니스 파트너일지도 모른다는 생각도 해보았다. 아마 생명의 은인일 수도……

'그 사람을 만나면 뭐라고 얘기해야 하지? 막상 해야 할 말을 준비하지 못했어.' 올리비아는 살짝 눈매를 찌푸렸다. '삼촌의 안부를 전해 드리면 되겠지?' 올리비아는 이미 죽고 이 세상에 없는 삼촌의 안부를 어떻게 전해야 할지 몰라 입술이 꽉 깨물었다.

올리비아는 드디어 자신이 그렇게 찾아 헤매던 집 문 앞에 서 있었다. 세월의 흔적을 말해주듯 아파트 단지는 낡고 허름하기 그지없었다. 문 근처 여기저기에서 벨을 찾아보았지만 벨은 보이지 않았다. 올리비아는 대신 짧은 심호흡 뒤 용기를 내어 쾅쾅 큰 소리로 문을 두드렸다. 하지만 아무도 그녀를 맞이해주려 나오는 사람은 없었기에, 올리비아는 다시 문을 몇 번 더 두드렸다.

"카얀? 카얀 혹시 여기 계신가요?"

올리비아가 여전히 기척이 없는 문을 몇 번이고 두드리자 오히려 옆집의 문이 활짝 열리며 어느 하얀 머리에 허리는 살짝 구부러진 할머니 한 분이 잔뜩 화가 난 목소리로 나오셨다.

"아니 누가 이른 저녁부터 시끄럽게 구는 거야?"

할머니는 매우 심기가 불편하다는 듯 올리비아를 날카롭게 째려보았다. 특히 그녀의 빨간 머리를 한참 유심히 쳐다보았다. 올리비아는 순간 기선제압을 당한 채 자리에서 굳어버렸다.

"죄송한데...... 혹시 여기에 사는 카얀을 아시나요?"

"카얀? 아니 카얀을 왜 여기서 찾아? 여길 떠난 지가 언제인데!"

올리비아는 할머니가 카얀이라는 이름에 반응을 하자 방금 전까지의 긴장감을 잊은 채 할머니에게 더 많은 정보를 얻어내려 그녀에게 한 발짝 다가섰다.

"카얀을 아세요?"

"여기 살던 카얀을 누가 몰라? 이미 경극배우로 유명해져서 여길 떠난 지 오래라고!"

"카얀이 경극 배우예요?"

"아니 그것도 모르고 카얀을 찾으러 온 거야?"

"카얀은 지금 어디 있나요?"

올리비아는 안달이 났다.

"내가 그걸 어떻게 알아? 저기 홍콩 섬 어딘가 좋은 집에서 떵떵거리고 살고 있겠지?"

"그럼 카얀이 어디서 공연을 하는지 알 수 있을까요?"

"아이고 그만 물어봐! 시끄러워! 난 하나도 몰라! 아무튼 여기서 시끄럽게 굴지 말고 썩 나가! 어째 그런 빨간 머리로 광동어 말까지 배워서는 정신 사납게…… 에휴."

할머니는 외국 도깨비라도 본 듯 올리비아를 못마땅하게 계속 쳐다보았다. 하지만 올리비아는 아무것도 보이지 않았고 카얀이 유명한 경극배우라는 사실만 귓가를 맴돌았다. 올리비아는 이곳에 더 있다가는 정말 할머니에게 귀신 취급이라도 받아 해코지라도 당할까 싶어 급하게 건물 밖으로 몸을 피해 나왔다.

홍콩 섬으로 다시 돌아오는 열차 안에서 올리비아는 내일부터 무엇을 해야 할지 명확하게 알 것 같다는 생각에 피곤 하지만 미소를 지으며 열차 안에서 잠시 잠에 빠져들었다.

다음날 올리비아는 카얀이라는 이름의 경극배우를 인터넷에서 찾기 시작했다. 카얀에 대한 기사가 잔뜩 쏟아져 나온다. 하지만 기사와 함께 올라온 카얀의 사진이 그녀를 혼란스럽게 만들었다. 사진 속의 카얀이라고 소개된 경극배우는 찐한 화장의 고혹적인 여자분장을 하고 있지만 기사에는 분명 카얀을 '그'라며 남성으로 표시하고 있었다.

"뭐? 남자? 여자가 아니고 남자?"

지금까지 카얀을 여자로 믿고 있던 올리비아가 혼란에 빠졌다. 올리비아는 수만 가지 궁금증을 일단 옆으로 밀어둔 채 카얀을 만날 수 있는 방법을 찾아보기로 했다. 가장 현실적인 방법은 사진 속 카얀이 공연을 하였던 야마테이 극장을 찾아가는 것이었다. 올리비아는 핸드폰으로 야마테이 극장 위치를 확인한 뒤 바로 짐을 챙겨 급하게 야마테이 극장으로 향했다.

야마테이 극장에 도착한 올리비아, 또 한 번의 난관에 부딪힌 자신을 발견했다. 60대 후반의 삐삐 마른 야마테이 극장 관리인은 올리비아의 빨간 머리를 힐끔힐끔 쳐다보며 극장이 2022부터 신축공사 건으로 폐쇄되었다고 말해줬다.

"그러면 카얀은 어디서 만날 수 있죠? 다른 곳에서 혹시 공연을 하나요?"

"카얀? 카얀은 여기가 폐쇄되기 전에 이미 공연을 그만두었어."

"네?"

올리비아에게 카얀을 찾아 나선 뒤부터 매 순간이 놀라움의 연속이었다.

"아니 그렇게 유명하다는데 왜 공연을 그만둬요?"

"카얀이라…… 5,6년 전만 해도 아주 유명했었지. 그러다가 갑자기 그만뒀어. 소문에는 몸에 이상이 왔다나? 아무튼 난 자세히 모르겠고. 뭐 돈은 섭섭지 않게 벌었으니 잘 살고 있겠지."

"근데 카얀은 여자이름 아닌가요? 이 사람은 남자인데 왜 자신을 카얀이라고 부르나요?"

"나도 자세히는 모르겠고, 아마도 경극에서 여자 역할을 자주 했으니 여자이름으로 불리고 싶어 했다는 이야기도 들었었고, 자신이 여자라고 착각하는 동성애자라는 소문도 있고."

"아. 그렇구나."

올리비아는 그제야 조금은 이해가 된다는 듯 고개를 끄덕였다. 하지만 지금 중요한 건 카얀이 남자냐 여자냐가 아니라 카얀이 도대체 어디 있느냐이다.

"암튼, 나는 다시 사무실로 돌아가야 하니 이만 조심히 가게."

"어, 지금 가시면 안 되는데."

다급해진 올리비아는 자신이 가진 카드들 중 건물 관리인이 좀 더 시간을 내어줄 수 있는 좋은 패를 빨리 꺼내 보내줘야 했다. 순간 머릿속에 반짝하고 불빛이 들어왔다.

"사실 제가 여기 영국 미디어 기자인데요,"

올리비아는 명함을 꺼내어 극장 관리인에게 보여줬다.

"사실은 카얀을 인터뷰하러 왔어요. 제 프로젝트가 홍콩을 대표하는 사람들이거든요."

"아니? 그러면 처음부터 그렇게 말을 하지 그랬어!"

올리비아는 자신의 말이 이렇게 쉽게 통하다니 정말 처음부터 이런 질문하지 않은 게 억울할 지경이었다.

"카얀이 인터뷰를 요즘 하는지 모르겠는데 이전에 카얀 매니저 연락처가 아마도 사무실에 있을 듯한데……"

그의 말에 올리비아는 한 줄기의 희망을 분명 보았다. 잠시 뒤 올리비아는 극장 관리인이 노트 귀퉁이를 잘라 그 위에 적어 준 전화번호를 들고 집으로 돌아왔다.

올리비아는 집으로 돌아오자마자 카얀 매니저에게 전화를 했다. 신호음이 잠시 들리다 곧장 누군가가 전화를 받았다.

"안녕하세요, 혹시 카얀 매니저님 맞으신 가요?"

"아, 누구시죠? 이제는 카얀 매니저는 아니지만."

"안녕하십니까? 저는 영국 미디어 더 그라운드 지의 기자……"

올리비아는 상대가 카얀 매니저였다는 사실을 알게 되자 바로 자신을 정식으로 소개했다. 그리고 카얀의 인터뷰를 위해 연락했다며 그녀는 꼭 카얀을 만나길 바란다고 말해줬다.

"나도 이제 카얀을 일 년에 한 번 볼까 말까 합니다. 몸에 이상이 생겨서 휠체어에 앉은 뒤 사람들 보기에 흉하다고 세상 밖으로 거의 안 나오고 있죠."

"그러면 제가 혼자서라도 그분이 사는 곳으로 직접 가면 되죠! 주소라도 좀 알려주세요."

"내가 카얀집에 모르는 사람을 어떻게 보내요?"

올리비아가 그의 대답을 듣자 다시 초초함이 밀려온다. 어떻게 서든 자신이 지금 가진 카드들 중에서 최대한 빠르게 조커카드를 찾아 꺼내야만 했다.

'조커카드, 조커카드'

올리비아가 온 힘을 다해서 방법을 생각하느냐 얼굴을 잔뜩 찌푸렸다. 그때였다. 생각지도 않게 조커 카드를 꺼낸 것은 상대방이었다.

"참. 영국 유명한 미디어 기자라고 했나요?"

"네"

"만약에 내가 데리고 있는 신인 몇 명만 기사를 잘 써준다면 카얀이 사는 주소정도야 내가 좀 흘려줄 수 있죠."

"당장 인터뷰 날짜 잡으시죠! 몇 명이라고요?"

올리비아는 상대방이 꺼낸 조커 카드를 회수해가기 전에 냉큼 집어 들었다.

며칠 뒤 올리비아는 신인이라고 하기에 전혀 경력도 없는 여자배우 두 명을 각각 만나 인터뷰를 진행했다. 이후 카얀의 전 매니저에게서 카얀의 현재 주소지를 받고서는 바로 그의 집으로 향했다.

택시에서 내리자 처음 카얀이 살았던 곳과 너무 다른 세상이 펼쳐졌다. 올리비아는 눈 앞에 고급저택을 보자 카얀의 성공을 간음할 수 있었다. 올리비아는 저택 문 앞에 도착해 벨을 조심스레 눌렀다. '띵동' 명쾌한 벨 소리가 한 번 울렸다. 오래 걸리지 않아 안에서 누군가가 바로 문을 열어주었다. 올리비아는 너무 쉽게 문이 열리자 반가운 마음에 밝게 미소를 지어 문을 열어 준 상대를 바라보았다. 자신과 비슷한 나이 또래의 젊은 남자는 갑작스러운 빨간 머리 외국인의 등장에 조금은 놀란 듯 눈을 크게 뜨고 올리비아를 쳐다보고 있었다.

"여기에 혹시 카얀이라는 분이 살고 있나요?"

올리비아의 친절한 질문에도 상대는 여전히 굳은 상태로 서서 살짝 미간을 찌푸렸다.

"사실 제가 카얀에게 전해 줄 정말 중요한 것을 가지고 왔어요."

올리비아의 말이 다 끝나기 전에 젊은 남자는 다시 집 안으로 뒷발질로 들어가 문을 닫으려 했다. 올리비아가 급하게 밖에 달린 문고리를 잡아당기며 외쳤다.

"잠시만요! 카얀을 만나야 해요! 카얀이 여기 있나요?"

올리비아의 적극적인 행동에 젊은 남자는 잠시 멈칫하며 그녀를 다시 바라보았다.

"당신은 분명 카얀이라는 분을 알고 있죠? 그분을 꼭 만나게 도와주세요."

젊은 남자는 간절하고 진지한 눈빛으로 자신을 바라보고 있는 올리비아에게 드디어 짧은 한숨과 함께 조용히 대답을 해주었다.

"카얀은 지금 만날 수 없어요. 돌아가세요."

"카얀에게 전해줄 것이 있어요. 그를 꼭 만나야 해요."

"카얀은 아무도 만나고 싶지 않아 해요. 그러니 돌아가세요."

"그에게 전해줄 편지가 있어요."

"죄송해요. 카얀은 이제 연극을 더 이상 하지 않아요. 그러니 더 이상 그를 방해하지 말아 주세요."

젊은 남성이 더 이상 소용이 없다는 듯 어깨를 가볍게 으쓱한 뒤 다시 집 문을 닫으려 하자 올리비아는 한 번 더 간절하게 그의 손목을 잡아 그를 멈추었다.

"카얀을 지금 만날 수 없다면 이 말은 꼭 전해주세요. 제 이름은 올리비아이고. 저는 1999년까지 홍콩 그라운드 지의 기자였던 에드워드 해리스의 조카입니다. 여기 제 연락처가 있으니 꼭 전화 주세요."

젊은 남성은 알았다는 듯 고개를 끄덕이면서 이번에는 정말 문을 닫을 결심이라도 한 듯 올리비아의 손을 밀어내고 그녀의 얼굴 앞에서 문을 굳게 닫아버렸다.

젊은 남자는 방금 전 갑작스러운 외부인의 방문이 반갑지는 않았다는 듯이 집 안으로 들어오자마자 두 손바닥을 탁탁 소리 내어 치며 마치 악운을 떠나보내듯 행동했다. 그리고 넓은 거실을 지나서 야외 테라스로 향했다.

"롱아, 밖에 누구냐?"

"오랜만에 아버지를 찾는 팬이 왔네요. 아버지가 무대 일을 그만둔 지가 몇 해인데 여전히 유명하시네요. 이렇게까지 사람들이 잊지 않고 찾아오고 말이죠."

롱은 휠체어에 앉아 테라스 담장 너머 홍콩 시내 풍경을 멍하니 쳐다보고 있던 중년의 남성에게 다가갔다. 그의 이름은 카이렁이었다. 카이렁은 50대 나이에 비해 머리는 벌써 하얗게 백발이 되었다.

하지만 얼굴은 여전히 경극인으로 한참 이름을 알렸을 때와 크게 다르지 않게 미묘한 아름다움을 지니고 있었다.

"참 이번에는 외국인이었어요. 빨간 머리의 여자인데. 참 자신이 더 그라운드 지의 기자라는 사람의 조카라나? 뭘 줄게 있다고 한 것 같은데."

카이렁은 롱의 말을 듣자마자 얼굴이 이내 살짝 창백해지더니 휠체어를 급하게 집안 거실 쪽으로 돌리려 했다.

"어! 조심하세요."

하지만 카이렁은 고집스럽게 휠체어를 조금씩 밀어 거실 안으로 돌아왔다. 그리고 곧바로 거실 구석의 책장으로 다가가 이곳으로 이사 온 뒤 한 번도 꺼내본 적 없는 책 한 권을 떨리는 손으로 꺼내었다. 카이렁이 책을 펼치자 한 장의 오래된 사진이 나타났다. 카이렁은 사진을 꺼내어 들고서 잠시 생각에 빠진 듯하더니 이내 롱을 향해 말을 꺼내었다.

"롱아. 부탁이 있다."

롱은 자신이 갓난아이 시절 카이렁에게 입양된 이후로 한 번도 본 적이 없는 카이렁의 가장 슬픈 눈빛을 보았다.

올리비아는 거의 다 찾은 카얀을 눈앞에서 놓친 것 같아 너무 속상한 마음에 홀로 남겨진 문 앞에서 잠시 멍하니 서있었다. 안타까움을 넘어 화가 나 두 주먹을 꼭 쥐었다. '지금 이 저택 안에 카얀이 있다. 더 적극적으로 집 안으로 밀고 들어 갔어야 했나?' 모든 것이 자기 잘못 같아서 마음만 속상해지는 올리비아. 올리비아는 잠시 스스로를 안정시키고 대중교통이 없는 부촌지역인 이곳에서 다시 다운타운으로 돌아갈 방법을 생각해보았다. '내일 다시 돌아와야지. 이렇게 포기할 수 없어.' 올리비아는 오늘 일단 후퇴하고 내일을 기약하기로 했다.

그때였다. 굳게 닫혔던 문이 다시 열리고 젊은 남성이 다시 모습을 나타냈다. 그는 아까 전까지 냉정했던 모습과 다르게 올리비아에게 가까이 다가와 친절하게 자신을 소개했다.

"안녕하세요. 다행히 아직 안 가셨네요. 제 이름은 롱입니다. 카얀이 당신을 만나 뵙기를 원하십니다."

올리비아는 상상하지도 못한 말이 롱의 입에서 들려오자, 하늘에 있는 삼촌 에드워드가 자신을 도와주는 것이라고 느껴졌다. 올리비아는 롱이 이끄는 대로 저택으로 들어가 그의 안내를 받아 집 안으로 들어섰다. 하얀 대리석이 깔린 넓은 거실로 들어서자 휠체어에 앉은 한 남성이 눈에 들어왔다. 올리비아는 그를 보자 자신이 인터넷에서 보았던 그 경극배우 카얀이라는 것을 바로 알 수 있었다. 롱은 잠시 머뭇거리는 올리비아를 카이렁에게 가까이 데리고 갔다. 카이렁은 긴 빨간 머리의 올리비아가 자신 앞으로 다가오자 무릎에 올려진 두 손을 미묘하게 떨었다.

"에드워드……."

올리비아는 그의 입에서 자신의 삼촌의 이름이 불리자 놀라움과 알 수 없는 감정이 깊은 곳에서부터 목구멍까지 올라오는 것을 느꼈다. 올리비아는 천천히 두 손으로 입을 잠시 가렸다.

"저희 삼촌을 아세요? 정말 당신이 카얀이 맞나요?"

카이링은 눈물을 글썽이며 떨리는 손으로 사진 한 장을 올리비아에게 전했다. 올리비아는 심장이 두근거림을 느끼며 그가 전하는 사진을 받아보았다. 사진 속에서는 젊고 건강한 카이링이 서 있었다. 사진 속 그는 빅토리아 하버의 화려한 밤야경을 배경으로 큰 미소를 짓고 있었고 그를 가운데 두고 젊은 에드워드 그리고 작은 몸집의 아름다운 홍콩여성이 서 있었다.

*

1999년, 홍콩에 어수선한 바람이 다시 몰아쳤다. 2년 전 홍콩이 중국으로 반환된 뒤 마카오마저 올해 반환된 다는 뉴스가 여기저기서 흘러나왔다. 모든 홍콩 시민들뿐 아니라 홍콩에 거주하는 외국인들도 이 세상이 크게 진동하는 듯한 기분을 한 번 더 느꼈다.

25살이 된 카이링은 경극배우였지만 직장을 잃은 지 벌써 1년이 되어갔다. 경극이 너무 하고 싶지만 자신을 받아주는 곳을 이제는 쉽게 찾을 수가 없었다. 카이링은 돈벌이를 위해서 밤에는 술집들이 많은 랑카이펑에서 현대식 음악에 맞추어 노래를 하며 아르바이트를 하고 있었다. 경극을 했던지라 현대식 노래소리가 썩 좋지는 않았다. 그리고 술에 취한 관객들이 가끔 자신에게 소리를 지르고, 먹던 음식물을 던지기도 하며 자신을 가볍게 대했다. 그럴 때마다 화가 잔뜩 나서 오늘까지만 일 해야지 하며 다짐을 하지만 밀린 집세를 내기 위해 카이링은 오늘도 무대에 오른다. 겨우 3곡만 노래를 부르는 일정이지만 무대가 끝나면 카이렁은 피곤이 밀려와 잠시 휴식 공간에서 축 처진 나뭇잎처럼 앉아 있었다. 그럴 때면 항상 어릴 적부터 같은 동네에서 자란 카얀이 그를 데리러 왔다. 카얀은 카이렁을 가장 잘 알고 있는 유일한 친구였다. 카이렁이 숨기고 싶었던 그의 비밀, 그가 동성연애자라는 사실도 그녀는 어릴 적부터 알고 있었다. 그 일로 동네에서 몇 번이고 사람들에게 괴롭힘을 당했을 때도 그를 구해준 것이 카얀이었다.

지금은 두 사람 모두 배우로서의 큰 꿈을 앉고 허름하고 작지만 한 집에서 함께 살고 있다. 가난하고 고단한 인생길에서 언제나 서로에게 가족처럼 어깨가 되어주는 두 사람. 카얀은 작고 야리야리한 몸으로 자신보다 큰 키의 카이렁을 팔로 부축해서 술집을 빠져나갔다.

"카얀, 너는 참 억척스러운 엄마 같아. 나를 어린아이처럼 쉽게 다루잖아."

"이렇게 내가 너를 데려오지 않으면 오늘도 속상하다고 술에 취해서 집에 돌아올 거잖아. 카이렁, 지금은 우리가 별 볼일 없는 사람들이지만 난 믿어. 우리가 언젠가는 반드시 모두를 깜짝 놀라게 하는 큰 별이 될 것이라는 걸."

"정말 그런 날이 올까? 그때가 되면 내가 카얀 너에게 멋진 명품 자동차도 사 줄게! 자동차가 뭐야! 다이아몬드 반지도 잔뜩 사 줄게! 홍콩 섬 힐 위에 이 도시가 모두 내려다보이는 고급 저택도 사자! 나를 항상 씩씩하게 돌 봐주는 대가라고!"

"내가 홍콩 뿐 아니라 저 넓은 중국 대륙에서도 활동하는 멋진

여배우가 되면 이 세상 어느 곳에서도 네가 공연을 할 수 있는 기회를 꼭 만들어줄게! 그렇게 우리 온 세상을 누리면서 살자!"

"좋아! 우리 꼭 그렇게 살자!"

그들은 터무니없다고 느끼는 이야기를 하면서도 마음속으로는 알고 있었다. 서로의 꿈이 얼마나 간절한지.

한 달이 지나고 카이링은 자신이 노래하던 술집에서 영국인 기자 에드워드를 만나게 되었다. 어두운 불빛 아래 있으면 남들은 눈치채지 못하는 그의 야릇한 빨간색 머릿결이 카이링의 눈을 매료시켰다. 에드워드의 완벽하지 않은 광둥어는 카이링과 대화하기에는 충분했다. 에드워드는 카이링의 원래 직업이 경극 배우라는 것을 알게 되었고, 그것에 대해 큰 호기심을 나타내었다. 그의 관심에 카이링은 자신도 모르게 얼굴이 붉어졌다. 카이링은 에드워드를 자신의 삶에 초대하고 싶어 주말에 자주 가는 딤섬집에서 아침을 먹자고 제안했다. 카이링은 부끄러움에 단둘이 에드워드를 만날 용기가 나지 않아 카얀을 결국 부르기로 했다. 하지만 에드워드가 카얀을 보고 사랑에 빠지게 될 것이라고 상상도 하지 못했다. 에드워드는 카얀을 보는 순간부터 그녀에게서 눈을 떼지 못했다. 그렇게 그들의 애매한 삼각관계가 시작되었다. 에드워드와 카얀이 데이트를 하면 카이링이 꼭 함께 카얀을 따라나갔고 그런 식의 만남이 몇 번이고 거듭되었다. 카이링은 자신이 두 사람을 연결해 준 것이 탐탁지 않았지만 카얀을 생각하면 속으로만 마음을 애태웠다. 카이링은 카얀이 에드워드와 함께 있을 때는 지금까지 보지 못했던 그녀의 행복한 모습을 보았기 때문이다. 카이링은 차마 그런 카얀의 행복을 깰 수 없었다.

그러던 어느 날 밤 카얀이 카이링의 방에 찾아왔다.

"카이링. 얼마 전 영화사 리우 아저씨가 북경에 갔는데 거기서 아저씨 영화에 크게 투자하고 싶은 사람들을 만나셨대."

"세상이 변해가니 홍콩에 많은 자본들이 들어오려나?"

"응 그런 가봐. 나 카이링에게 사실 할 말이 있어."

"그게 뭔데?"

"나 내일 당장 북경에 가야 할 것 같아."

"갑자기? 북경에 가서 뭘 하겠다고? 넌 평생 여기서 살았는데, 넌 중국 본토말도 아직 어눌하잖아."

"리우 아저씨가 그 투자자에게 내 프로필을 보여줬는데 그 사람이 나를 한 번 만나자고 했데. 나를 스타로 만들어 줄 수도 있다고 했나 봐."

"그건 안돼! 위험할 수도 있다고!"

"하지만 리우 아저씨가 같이 가주기로 했어. 아무 일도 없을 거야. 걱정하지 마. 가서 상황만 살펴보고 바로 돌아올 게"

"나는 싫어! 넌 내게 둘도 없는 가족이나 다름없어! 그런 낯선 도시에 내가 너를 어떻게 혼자 보내? 난 불안하다고!"

"하지만 이것이 나에게 기회가 될 수도 있어. 걱정 마. 한 달이면 금방 돌아올 거야."

"카얀, 내가 리우 아저씨랑 더 얘기해 봐야겠어."

"카이링, 너는 나를 알잖아! 난 더 큰 세상으로 나가고 싶다고."

"하지만 여기서도 충분히……"

"카이링, 나를 믿어봐. 난 강한 여자라고."

카이링은 카얀의 고집을 꺾을 수 없다는 걸 알기에 이내 그녀를 설득하기를 포기해 버렸다.

"카이링, 그리고 에드워드를 잘 부탁해. 에드워드에게는 차마 이 이야기를 할 수가 없을 것 같아. 대신 이 편지를 에드워드에게 꼭 전달해 줘. 에드워드를 만나면 나는 아마도 북경으로 갈 용기를 내지 못할 것 같단 말이야."

카얀이 작은 편지봉투를 카이링에게 전달했다.

다음날, 에드워드가 신문사에 도착하자 편집장 폴이 자신을 아침 일찍부터 찾았다는 그의 비서의 말을 듣게 된다. 에드워드는 넓은 사무실을 가로질러 폴의 직무실 문을 노크하였다.

"저를 찾으셨다고요?"

"에드워드. 홍콩에 몇 년 째지?"

"이제 한 5년이 되어갑니다."

"홍콩의 과도기를 다 보기에 충분한 시간이군. 이제 자네에게 자유를 주겠네. 이제 영국으로 돌아가도 될 것 같아."

"네?"

"마카오마저 중국에 반환되니 본사에서도 슬슬 사무실 인원을 줄여 나갈 생각이야. 당분간 우리 같은 영국 회사들이 거쳐야

하는 관례라고 생각하면 될 것 같아."

"그러면 언제쯤 떠나야 하나요?"

"한 달 안으로?"

"그렇게 빨리요?"

에드워드는 카얀의 얼굴이 순간 스쳐 지나간다. 만난 지는 얼마되지 않았지만 자신의 심장을 처음으로 뛰게 만들어준 여자 카얀. 자신만큼 도전적이고 두려움이 없는 그녀가 갑자기 보고 싶어졌다. 에드워드는 급하게 미팅을 끝내고 회사 사무실 전화기로 카얀 집에 전화를 걸었지만 아무도 받지 않았다. 에드워드는 이후 몇 번이나 다시 전화를 걸었다. 그제야 누군가가 전화를 받았다. 카이렁이다.

"카이렁? 혹시 카얀하고 같이 있어?"

"카얀? 카얀 지금 홍콩에 없어."

카이렁의 목소리는 얼음처럼 냉정했다. 카이렁은 자신이 아닌 카얀에게 여전히 더 관심을 가지는 에드워드에게 괜히 심통이 났다.

"카얀이 지금 홍콩에 없다고? 그러면 어디 간 거야? 언제쯤 홍콩에 돌아오지? 왜 나에게 아무 말도 없이 어디로 간 거지? 카얀이 있는 곳을 좀 알려줘."

전화기를 통해서도 에드워드가 얼마나 안절부절못하고 있는지 카이렁에게까지 그의 떨림이 전달되었다.

"에드워드. 너무 어린애처럼 구는 거 아니야? 카얀은 이미 다 큰 성숙한 여자라고. 나 같은 큰 성인 남자도 한 마디로 휘두를 줄 아는 강하고 독립적인 여자인데 에드워드는 너무 카얀에 대해서 모르는 거 아니야?"

카이렁은 에드워드를 나무라면서 전화기 옆 탁자에 올려진 카얀이 에드워드에게 전달해 달라고 부탁한 편지를 가만히 쳐다보았다.

"카이렁. 제발 그녀가 어디 있는지 알려줘. 내가 너희 집으로 갈게."

"에드워드! 나를 귀찮게 하지마! 전화 끊어!"

카이렁은 카얀의 일에 어쩔 줄 몰라 하는 에드워드가 미웠다.

'편지 따위 주나 봐라.'

에드워드는 이전에 한 번 찾아갔던 카이렁과 카얀이 살고 있는 아파트로 바로 달려갔다. 하지만 집문은 굳게 닫혀 있었다. 에드워드는 굳게 닫힌 문을 두드리며 카얀의 이름을 크게 불러보았지만 아무도 그 문을 열고 나오지 않았다. 오히려 시끄럽다며 불평하는 어느 이웃집 중년 여인에 의해서 그곳에서 쫓겨났을 뿐이다. 에드워드는 아파트에서 얼마 떨어지지 않은 버스정류장 앞 허름하고 작은 가게에 앞에 앉아 카이렁이 돌아오기를 기다렸다. 멀리서 큰 키의 카이렁이 한눈에 들어왔다. 카이렁은 멀리서 자신을 보고 반갑게 달려오는 에드워드를 보자 걸음을 멈췄다.

"카이렁. 계속 여기서 너를 기다렸어."

"나를 귀찮게 하지마! 난 카얀이 어디 있는지 말해 줄 의무가 없다고! 그녀도 지금은 원하지 않을 거야!"

"그렇다면 카얀이 나에게 남긴 말 같은 건 없었어?"

카이렁은 속으로 한 달이면 다시 돌아올 카얀인데 뭘 이렇게 까지 호들갑 떨어야 하나라고 생각이 들었다.

"없어!"

카이렁의 차가운 대답에 에드워드는 힘이 축 처졌다.

"카이렁. 나는 곧 한 달 안에 영국으로 떠나게 될 거야. 그 안에 내가 카얀을 만나야 해. 제발 좀 도와줘."

에드워드의 말에 카이렁은 큰 한숨을 푹 쉬고 나서 귀찮다는 듯이 낮은 목소리로 에드워드에게 말을 건네었다.

"나를 따라와."

카이렁은 자신의 짝사랑이 이제는 끝을 맺어야 한다고 스스로를 타일렀다.

영국으로 떠나는 비행기 안에서 에드워드는 카이렁에게 건네받은 카얀의 편지를 읽고 또 읽었다.

'에드워드, 당신을 만나면 저는 지금까지 느껴본 적 없는 평온함과 행복을 느낍니다. 하지만 나에게는 마음을 안주해서는 안 되는 꿈이 있습니다. 조금만 기다려 주시면 내가 나의 일을 모두 마치고 홍콩으로 다시 돌아올게요. 그때까지 건강하세요.'

***

올리비아는 카이렁이 들려준 자신이 알지 못했던 삼촌에 관한 이야기들에 한동안 말을 잊지 못했다. 에드워드가 카얀을 자신만큼 간절하게 찾았다는 사실에 올리비아는 지금 더욱더 카얀을 만나야만 했다.

"당신이 에드워드 삼촌이 그리워했던 카얀이 아니라면 진짜 카얀은 어디에 있는 거죠? 그리고 왜 당신이 카얀의 이름을 쓰고 있는 건가요?"

카이렁은 짧은 한숨 뒤 먼 허공을 바라보며 천천히 대답을 해나갔다.

"배우의 꿈을 이루지 못하고 카얀은 죽어버렸지. 그녀의 이름이라도 이 세상에서 남겨져 사람들에게 기억되길 바라는 마음에 내가 그녀의 이름을 가져다 내 무대 명으로 쓰게 되었어."

카이렁의 말이 끝나기도 전에 눈물이 그의 뺨을 타고 흘러내렸다.

***

북경으로 떠난 카얀은 6개월이 조금 지나서야 홍콩에 돌아왔다. 북경에서 무슨 일들이 있었는지 카얀은 입을 꼭 다물고 카이렁에게 아무 얘기도 해주지 않았다. 카얀은 상당히 수척해져 있었고, 말수도 많이 줄어 있었다. 심지어 카이렁이 옆에서 말을 걸어도 무시하기 일쑤였다. 얼마 뒤 카얀이 임신했다는 사실을 알게 된 카이렁은 어떻게 해서든 그녀의 문제를 해결해주고 싶었다. 하지만 이미 배가 많이 불려져 갔고 가난했던 두 사람이 할 수 있는 일들은 별로 없었다. 카얀은 에드워드가 자신에게 아무 말도 남기지 않고 영국으로 떠났다는 것을 알게 된 후 더 절망에 빠졌다. 두 사람이 아이를 낳아서 고아원에 보내기로 결심한 날 카얀은 평생 마시지 않았던 술에 취해 집으로 돌아왔다.

"카이링, 내가 북경으로 가지 않고 여기에 있었으면 나는 에드워드와 행복했을까?"

"카얀, 너는 너의 날개를 펼쳤을 때 가장 행복한 여자야. 난 너를 알아. 넌 강인하고 독립적인 여자라고. 남자에게 의지하는 그런 사람이 아니야. 너는 너의 꿈을 위해서 최선을 다 했을 뿐 아무 잘못도 없어."

"하지만 오늘은 난 에드워드가 그리워."

"내가 있잖아. 나의 시스터."

몇 개월 뒤 카얀이 병원 분만실로 들어가는 날, 이동 침대에 누운 카얀은 카이링의 손을 꼭 잡으며 미소를 보였다.

"걱정하지 마. 모든 것이 다 괜찮아질 거야."

카얀은 자신을 걱정하는 마음에 꼭 쥔 손에 땀이 가득 고인 카이링을 오히려 다독거려 줬다. 그리고 그것이 카얀이 생전 카이링을 향한 마지막 인사였다.

***

롱과 카이링은 올리비아를 카얀의 명패가 있는 홍콩 근교로 데리고 갔다. 촘촘히 붙어있는 명패들 사이에서 작고 작은 카얀의 명패를 찾은 그들. 드디어 올리비아는 카얀의 명패 앞에 서서 그녀를 마주하게 되었다.

"카얀, 내가 찾던 사람이 당신이군요. 드디어 당신을 찾았어요. 삼촌도 하늘나라에서 매우 기뻐하실 거예요."

삼촌의 무덤과 다르게 너무나도 작은 카얀의 명패가 사진 속 그녀만큼 작고 가냘팠다. 카얀이 이곳에서 외롭게 혼자 얼마나 있었을까? 하고 생각을 하니 올리비아의 눈에는 어느새 눈물이 글썽거린다.

"이제 카얀에게 편지를 전해줘도 될까요?"

올리비아는 핸드백 안에서 편지를 꺼내어 카이렁을 바라보았다. 카이렁은 조용히 고개를 끄덕였다. 올리비아는 카이렁의 끄덕임에 20여 년 동안 굳게 봉해져 있던 편지봉투를 조심스레 열어 그 안에서 편지를 꺼내 카얀의 명패옆에 조심히 놓아주었다.

Dear 카얀

홍콩에서 우리의 만남은 짧았지만, 이곳 영국 내 고향으로 돌아온 뒤 당신 생각을 끊임없이 했습니다. 우리가 나눈 이야기처럼 사랑이 정말로 존재한다면 우리는 떨어져 있어도 마치 하나인 듯 같은 운명으로 살아가고 있겠죠. 여기 일들이 좀 더 정리되면 홍콩으로 다시 돌아가 당신이 어디 있든 어떤 모습이든 그대를 찾아내어 다시 사랑하겠습니다.

그곳에서 나를 기다려주세요.

매화나무가

피는 곳

은
경

to. 할아버님의 손자분께

안녕하세요, sns로 연락드렸던 김진옥 할머니의 손녀 박지윤입니다.

sns에서 우연히 할아버님의 사진을 보았을 때의 놀라움이란이루 말할 수 없어요. 할머니가 가끔 보여주던 첫사랑 사진과아주 닮은 잘생긴 청년이었거든요. 최근 sns에서 할머니, 할아버지의 옛날 사진을 컬러나 고화질로 복원하여 업로드 하는 것이 유행이라는 것도 모를 만큼 평소에 자주 보는 편은 아닌지라, 사진을 발견했던 그 날 저는 어떠한 운명이 강하게 끌어당기는 느낌을 받았습니다. 그래서 바로 연락을 드렸어요.

할머니께서 계속 간직하셨던 할아버님의 사진과 할머니의 편지 3통을 함께 동봉 드립니다.

할머니가 돌아가신지는 2년이 좀 안 되었습니다. 편지의 존재를 알게 된 것은 할머니의 유품을 정리하면서입니다. 발견한 곳은 할머니께서 비상금, 반지 같은 중요한 물건을 몰래 숨겨두던 곳이었어요. 장롱 밑 오른쪽 서랍을 열어 깊은 안쪽 천장에 테이프를 이용해 고정시킨 아주 은밀한 곳이었지요.

가끔 저에게 용돈을 주시려 꺼내는 것을 봤기 때문에 저는 알고 있었으나, 가족 중에서는 그 사실을 아는 사람은 몇 되지 않아요. 만약 제가 할머니의 짐을 정리하지 않았다면 편지의 존재는 밝혀지지 않았을 수도 있겠지요. 의도하지 않았던 일들. 그러니까 할머니가 제게 할아버님의 사진을 보여주신 것, 제가 할머니의 짐을 정리하면서 편지를 발견하게 된 것, sns에서 할아버님의 사진을 보게 된 것은 이 편지를 쓰게 된 이유가 되겠네요.

할머니께서는 딱 한 번 첫사랑에 관련한 일화를 이야기 해주신 적이 있었어요.

"할머니가 살던 동네는 매년 다른 마을보다 일주일은 먼저 매화가 피었단다. 우리 집 뒤에는 적당한 크기의 동산이 하나 있었는데, 매화나무가 켜켜이 지나가며 길을 안내하는 곳이었지. 그 길을 따라 쭉 가면 제일 오래되고 큰 매화나무 한그루가 자리 잡고 있는데 나는 매화가 만개할 때면 거기에 기대 앉아 친구들과 꽃놀이를 하곤 했단다. 그 날도 여느 날처럼 꽃구경을 하고 있었는데 저 길 따라 서있는 나무들 뒤로 남자들이 나와 친구들을 흘끗 보고 있는 거야, 글쎄. 그때는 말이지, 내가 미인이라 동네에서 꽤나 예쁨을 받았거든. 모른 척 떠들고 있는데 내 앞으로 갑자기 뛰어오더니 헉헉 대면서 이름을 묻는 거야. 제일 먼저 용기 낸 그 남자가 바로 내 첫사랑이었단다."

할머니께서는 제일 크고 오래된 그 매화나무는 매해 매서운 칼바람에도 겨울을 버티고서 피어나, 제 성질처럼 강인하면서도 하얀 꽃잎처럼 맑은 향기를 뿜었는데, 첫사랑이 그 매화나무를 참 닮았다고 생각하셨대요.

전쟁이 나고 헤어진 뒤 연고가 없어 연락이 끊겼지만, 나라가 안정이 되면 다시 만날 것이라고 믿고 편지를 쓰셨다고 해요. 그 편지를 여태 가지고 계실 줄은 몰랐지만요.

부칠 수 없는 편지라 태우거나 버릴까도 생각했지만, 그동안 제가 보관하고 있던 것은 할머니께서 버리지 않고 계속 간직하고 있던 이유와 같아요.

직접 전달 드릴 수 있을 거라는 희망이 있었는데 정말 안타깝게 되었습니다. 먼 곳에서 두 분이 이미 만나 편지를 전했다면 정말 좋겠네요.

혹시 할아버님께 관련한 내용을 들은 적이 있거나, 사진과 같은 자료가 있다면 공유해주실 수 있는지… 해주신다면 너무 감사할 것 같습니다.

두 분의 이야기를 직접 듣고 싶으시다면 저희가 한 번쯤 만나는 것도 좋을 것 같아요. 답변 기다리도록 하겠습니다.

저는 부칠 것이 있어 드리는 김에 편지로 적어드리지만, 편지로 답신이 어려우시다면 전에 알려드린 휴대전화로 답장주세요.

추신, 할머님의 편지를 보관하기 어려우시다면 읽으신 후 돌려주셔도 됩니다.

2020.04.22.
박지윤 올림

*

사랑하는 성태 동지 앞

올해 이상하게 설중매가 피고 매실이 작년보다 달은 일찍 맺
히니, 그 이유가 이 끔찍한 전쟁을 피하기 위해서였나봅니다.

당신이 전선으로 떠나고서는 꽃도 지고 더위도 기울어 벌써
낙엽이 우수수 떨구는데도 소식 한 통 오지 않아 퍽 섭섭도 하
고 염려도 하고 있습니다. 하지만 우려하는 소식이 없으니 안녕
하실 줄은 믿습니다.

우리 같은 사람들이야 정치질 같은 건 모르지만서도 들리는
이야기로는 평양까지 아랫동네 손에 넘어갔다고들 하는데, 나로
서는 뭐가 더 좋은 건지도 모르겠습니다. 다만 전쟁이 빨리 끝
나 당신이 무사히 귀환하였으면 하는 마음입니다.

마지막으로 성태 동지 어머께 들은 소식은 성태 동지가 아
주 밑으로 내려가서는 중간 보급로가 끊겨 연락이 닿지 않는 것
같다고 했습니다. 시간이 지나면 다시 올라올 거라고 하셨지요.
그래도 우리나라에서 제일로 따뜻한 곳으로 가서 추위로 고생은
안하겠다고 생각했지만 전쟁에서의 고생이 추위 뿐만은 아니겠
지요.

동지의 부모는 오매가매 마음 쓰고 있으니 너무 염려마세요.
나의 건강도 염려마시고 부디 몸조심하세요.

부모님께 동지의 사진을 받아와 매일 꺼내보고 닦고 있습니

다. 나와 동지 부모님의 사진도 한 장 보냅니다. 연락이 닿는 대로 편지를 부칠 예정이니, 동지의 지금 사진도 한 장 받으면 소원이 없겠습니다. 이 편지를 부칠 일이 없었으면 더 좋겠습니다. 그래도 또 소식을 전하겠습니다.

1950.10.15
진옥 올림

*

그리운 성태 동지에게

이 편지가 두 번째임을 알립니다. 하지만 동지에게는 처음 부치게 될 편지입니다.

처음 편지를 동지의 어머니께 전하니 인민군에 사기를 반하는 대단히 혁명치 못하다는 내용이 있어 다시 가지고 온 참입니다.

저희 동네에 얼마 전 갑자기 중공군이 들이닥치기 시작했습니다. 정세가 어떻게 돌아가는 지는 옆집 아저씨가 얼마 전 우리 아빠에게 하는 이야기를 들어서 알고 있습니다. 중공군이 개입하고 나서부터 돌아가는 꼴이 요상치 않다고, 조만간 결정을 해야 할 것 같다고요.

요즘엔 밖에 혼자 나가지 못할 만큼 위험해서 해가 저물면 부모님, 만옥이, 나 한 방안에 모두 모여 불도 끄고 조용히 숨죽이고 지냅니다. 그래서 옆집 아저씨네와 우리는 내일 흥남으로 떠나기로 결정을 했습니다. 제 부모님은 저와 만옥이의 무사를 위해 결정하신 듯합니다. 마침 유-엔군이 흥남에서 피난민들을 모아 큰 배를 타고 아래로 내려간다고 하니 우리는 그 길을 따라 남으로 내려가려 합니다.

성태 동지가 남쪽의 포로로 잡혔다는 이야기를 마침 선해 들었습니다. 일순 하늘이 노랗고 눈에 짠물이 차오르는데, 눈물을 금할 길이 없습니다. 다리는 부들부들 떨려 집에 돌아가는 내내 몇 번이고 부닥쳤습니다. 도착해 엄마께 말하니 옆 마을의 진기가 얼마 전에 팔 한쪽이 잘리고 시체로 돌아왔다며, 살아있다는 것에 감사해야 한다고 하셨습니다.

동무의 부모님께서 백방으로 알아보니 대대적인 포로 교환이 시작되면 그 때 돌아올 수 있을 거라고 하셨습니다. 풀려나면 이곳으로 분명 돌아올 테니 이곳을 떠날 수 없다고요.

저는 그저 포로로서 많은 고초를 겪지 않기만을 기도하고 있습니다.

동무 어머니께는 적은 편지(대단히 혁명적이지 못한) 대신 부산에 사는 아버지의 먼 친척 주소를 전달하였습니다. 동무 소식이 오면 그쪽으로 연락을 주시라 부탁한 참입니다.

제가 여기를 떠나게 되면 우리는 어디서, 언제 다시 볼 수 있을까요. 다음 우리가 볼 수 있는 것은 남쪽의 봄일는지요. 이 편지를 마치면 불을 끄고 잠을 청해야하는데, 도통 잠이 오질 않을 것 같습니다.

1950.12.08
지옥 올림

*

성태씨에게

제가 살고 있는 곳은 우리 동네보다도 매화가 더 빨리 피는 곳입니다. 벌써 꽃봉오리가 꽃을 틔우려 팽팽하게 한껏 오므려 있어요.

오늘은 마침 입춘입니다만, 아직은 추위가 만연해 봄이 오려면 조금 더 시간이 흘러야 하겠지요.

저는 오늘 결혼식을 앞두고 있습니다. 그리고 편지는 오늘이 마지막입니다. 사실은 이 말을 적으려 앞에 서두가 길었네요.

나는 다시는 우리 동네의 매화나무를 보지 못하게 되었습니다. 그 말은 당신도 더 이상 볼 수 없다는 말이에요. 우리의 끝 맺음을 위해서라도 나는 오늘 마지막 편지를 써야한다고 생각했습니다.

고향으로 무사히 돌아갔나요? 건강하신가요? 부모님들은 모두 잘 계신가요? 여전히 혼자이신가요? 우리 집 뒷동산에 커다란 매화나무는 아직도 꽃을 피우고 있나요? 묻고 싶은 말은 참 많지만 부치지 못하는 편지에 써서 무엇 하나 싶다가도, 마음에서 꺼내어 이 편지에 적고는 이제 다시는 의문을 가지지 않기로 했습니다.

내 자식들에게는 어떠한 아픔 없이 누구라도 마음껏 사랑할 수 있도록, 어디라도 마음껏 갈 수 있도록 살 거예요. 그러다가 우리가 다시 만나는 그날이 오면 여태 살았던 이야기 마음껏 나누도록 합시다.

그동안 행복하세요.

1955.02.03.

마지막으로 진옥 올림

to. 김진옥 할머니의 손녀 박지윤님에게

안녕하세요, 보내주신 편지와 사진은 잘 받았습니다.

휴대폰으로 답장을 하는 것은 어쩐지 할머님과 할아버지의 마음을 쉽게 생각한다는 느낌이 들어 할 수 없었어요. 편지로 답장 드리는 것이 도리라고 생각되어 글을 씁니다.

우선 제가 sns로 할아버지 사진을 업로드 할 수 있다는 것은 할아버지께서 고향으로는 돌아가지 않았다는 것이겠지요. 할아버지께서는 포로수용소에 있다가 친구의 권유로 같이 남한군으로 전향하셨어요. 흥남철수 소식을 듣고 가족이 어쩌면 남으로 내려왔을 수 있다고 생각하신 것이 전향한 큰 이유였다고 하셨어요. 그 뒤 월남전 파병도 다녀오셨어요, 다만 그 후 후유증으로 고생하시다가 꽤 오래 전에 돌아가셨습니다.

제가 어렸을 때 돌아가셔서 직접 들은 내용은 없습니다만, 아버지에게 여쭈어보니 결혼을 약속한 이는 있었는데, 전쟁으로 헤어지고 생사를 알 수 없다고 하셨다고 하네요. 친족이 아닌지라 tv나 어느 신문사에도 신청할 수 없었다고 해요.

그리고 아버지에게 할머님의 편지를 보여드렸습니다. 아버지는 눈시울을 조금 붉히셨어요. 전쟁의 잔재가 아버지에게는 아직 남아있던 거겠죠.

편지를 받고 난 후 마음이 복잡해진 저는 우리의 과거에 대해

무관심했던 것에 죄스런 마음이 들어 6.25 전쟁에 대한 자료를 나름 많이 찾아보았어요. 그 안에는 또 다른 수많은 김진옥과 최성태가 있었습니다.

저는 글을 쓰는 일을 하고 있습니다. 마음에는 지금 당장 우리의 이야기를 쓰고 싶다는 생각이 간절합니다. 못 다한 이야기는 만나서 이야기 나누고 싶네요.

답신은 안 주셔도 됩니다, 휴대전화로 연락드릴게요. 조만간 뵙겠습니다.

추신, 조만간 할아버지 성묘를 갈 예정입니다, 편지를 두고 올 예정이에요.

2020.04.30

최성태의 손자 최현우 올림

선
택

임
민
우

　민오가 좁고 반듯한 방 안에서 뭐라도 할 것이 없을까 눈알을 굴리는 모습은 예전에 그가 기르던 유리 안 햄스터와 다를 바 없다. 인천 집에는 언제 내려오냐며, 엄마도 혀를 내두를 정도의 집돌이인 민오지만, 이놈의 격리는 그에게 당최 익숙해 질 기미가 보이지 않는다.

　따분하면서 초조한 하품을 한다. 정서불안인 듯 가만 있지 못한다. 옆집에서 선을 따 온 바람에 볼 수 있는 채널이 몇 개 없는 TV를 돌린다. 리모콘도 없어 침대에서 기어나와 손수 버튼을 누르고 눌렀으나, 기대에 부응하지 못한다. 자가격리 첫 날인 어젯밤 11시 55분부터 씨네마투플러스넷티비에서 방영해준 고전 홍콩영화 구복성 이후, 민오는 3초를 버티지 못하고 돌아가는 채널의 종착지를 찾지 못한다. 사지선다에 익숙해 주관식 문제는 풀 수 없는 민오의 모습과 크게 다르지 않다.

벌써 세 바퀴 째, 잘못 없는 TV의 채널이 돌아간다. 채널이 고정되어 있는 것 보다 더 편한 표정이다. 돌아가는 채널 하나 하나에 관심을 두고 넘기고 하며, 민오는 회사 생각을 애써 지운다. 잠깐 멈춘 채널에서 난민 후원 광고가 나온다. 잘생긴 남자배우가 아프리카 아이들에게는 선택이란 개념이 없다고 말한다.

*

민오가 공공지원팀원들과 식사를 함께한 건 신규직원 미영이 입사한 지 하루가 지난 목요일 점심이었다. 뉴페이스의 저녁 일정 문제로 인해, 환영식사 자리가 구면일의 밝은 날이 된 탓이었다. 매년 그러하듯 10월의 점심은 봄과 구분되지 않을 정도로 따스함과 시원함의 배율이 좋아, 식당가로 향하는 발걸음을 다소 느긋하면서도 경쾌하게 만들었다. 하루만 지나면 휴일이라는 사실과 나의 식사를 책임져 술 연숙팀장의 지갑이 더해지니 민오는 무적이 된 것 같기도 했다.

한강 앞에 있지만 한강 발톱의 때도 구경할 수 없는 한강에이치타워 2층 한스바이어러(Hans Beirer)스시. 구석의 룸은 통창 유리가 잘 닦이지 않아, 바깥 풍경을 온전히 느끼기 부족하였으나, 4인의 식신원정대가 식사라는 과업을 완성하기에는 큰 문제가 없었다.

무난한 시간이었다. 연숙은 자신의 딸보다 몇 살 많지 않은 미영의 사회생활 입성을 칭찬하며 그녀의 부모님을 부러워하였고, 민오는 적당히 분위기를 맞추며 어디 살다 왔는 지 따위의 사적인 질문을 하며 대화의 공백이 생기지 않도록 보이지 않는 이 자리의 공기를 관장하였다.

민오의 대직자 고운의 역할은 식사 보조를 맞추며 대화의 적재적소에 리액션을 넣는 것이었다.

연숙은 야무지고 똑똑한 신규가 들어왔다며 흡족함을 감추지 못했으나, 다음 날 출근한 공공지원팀은 그 야무진 직원을 볼 수 없었다. 그래나도복지관 역사상 입사 첫 주에 무단결근한 직원이 있었던가? 민오는 지각은 했으나 30분을 넘기지 않았고, 무단이라는 단어는 자체를 모르고 살았다. 당황한 기색이 분 단위로 짙어지던 연숙은 보건소를 통한 가은의 전화를 받고 나서야 비로소 그럼 그렇지, 자신의 촉이 틀리지 않았음에 안도했다.

가은은 코로나 양성판정을 받았다. 공공지원팀은 드디어 우리 부서에도 올 것이 왔구나 하는 분위기였다. 팀원들이 백신 맞기를 다행이라며 안도하고 있을 때 민오에게 한 통의 전화가 걸려왔다. 급히 복지관 입구 옆 작은 정자로 자리를 옮긴 민오는 약간 숨 찬 목소리로 수화기 너머의 보건소 직원을 상대했다.

"여, 여보세요."

"네, 안녕하세요. 강수보건소 재난지원팀 장다정입니다. 그래나도 복지관에서 근무하시는 이민오 선생님 맞으실까요?"

"예. 저, 접니다. 무슨.. 일이실까요?"

"다름 아니고 선생님께서, 금일 코로나19 양성 판정 받으신 하미영 선생님의 밀접 접촉자로 분류되셔서 전화 드렸습니다. 선생님 지난 10월 21일에 구연숙 선생님, 김고운 선생님 동석하여, 하미영 선생님과 점심식사 하였죠?"

뉴스 기사로 본 적 있는 전개였다. OO호 확진자의 이동경로, 먹은 음식, 그리고 접촉자. 민오는 별다는 주목 없이 주변인으로 살던 자신의 무난한 삶에, 사건이라는 것이 생기려 함에 불안감을 느꼈다.

"네.. 네!"

다정이 충분히 느낄 수 있는 긴장 가득한 목소리였다. 일반적인 대상자들보다 조금 특이한 과민반응에 직원은 좀 더 친근한 말투로 민오를 안심시키려 했다.

"그러시구나. 선생님 크게 걱정하실 일은 아니에요. 저희가 확인 차 전화를 드린 거라서요"

"혹시 그, 그, 격리 들어가나요?"

"에이, 아니에요."

"휴우.."

안도의 한숨이 끝나기도 전에 다정의 말이 이어졌다.

"백신 맞으셨잖아요?"

"네? 아, 아니요. 저 미접종자인데요."

"아?"

"아.."

"그럼 격리 하셔야 해요."

민오는 억울함을 느꼈다. 방역수칙을 성실히 지켜왔고, 일과 후 약속도 가급적이면 잡지 않았기 때문이다. 코로나 백신 접종은 하지 않았다. 미접종자 페널티는, 빠르지 않지만 꾸준한 속도로, 민오의 운신의 폭을 좁혀왔다. 하지만 시대의 흐름에 무조건적 협조를 하지 않은 본인이기에 어느 정도 수긍하며 살아왔다. 그런데 격리는 다른 문제였다. 분명 자가키트도 음성이었다. 민오는 자신의 몸 상태가 500M 달리기도 할 수 있을 정도로 멀쩡하다 느꼈다.

정해진 사실에 재차 항의하는 것은 시간낭비였다. 다수의 민원인을 상대해온 사회복지사 민오는 몸을 버둥거려도 현실이 바뀔 리 없다는 사실을 잘 알고 있었다. 보건소 직원은 이해한다는 듯 사람좋게 민오를 달래겠지만, 결과는 어쩔 수 없습니다로 끝날 것이 유력했다.

수긍 후 전화를 끊었고, 팀장에게 사실을 보고했다. 연숙의 표정
에서 절반의 놀라움과 절반의 걱정이 고르게 묻어났다. 진실의 미
간에서 굴곡없이 쭉 내려오자 보이는 입술이 여린 소리를 냈다.

"어머나 뭐야? 민오씨 접종 안했어?"

"네, 아직.."

"뭐하느라 아직도 안맞은거야?"

"아, 제, 제가 그, 기저질환이 있어서.."

"기저질환? 어디 안좋아?"

"아, 네, 네.."

"어디?"

"저기, 그.. 혈압도 조금 있고, 간수치도 조금 높고.."

"..."

연숙은 조심스럽게 대화를 이어갔으나, 이내 할 수 있는 다른 말
을 찾지 못했다. 애써 친절한 듯 한 연숙의 모습에 민오는 어쩐지
몸 둘 바를 몰랐으나, 불편함에 대한 구체적인 원인에 대해 생각할
수 없었다. 다만 팀원의 절반을 상실한 공공지원팀의 다음 주를 걱
정할 뿐이었다. 11월에 보자는 말을 듣고 자리로 밀려와 짐을 싸는
민오는 옆자리에 앉아있는 대직자 고운에게 억울한 사과를 전했다.

"주임님, 죄, 죄송합니다."

"아니에요. 주임님 잘못도 아니고. 잘 쉬다 오세요."

잘 쉬다 오라는 배려가 위축된 민오의 몸을 할퀴었다. 민오는 이 공간에 더 있다가는 몸이 쪼그라져 없어질 것만 같았다. 서둘러 짐을 싸고 도망치듯 복지관을 빠져나왔다.

집으로 가기 전 다정이 당부한 대로 코찔림을 당하러 등천역 옆에 강수보건소 선별진료소에 들러 줄을 섰다. 줄이 늘어선 것이 강수구청 사거리의 삼복순대국 점심시간 줄 보다 더 길었다. 저마다 대기시간에 불만스럽다 싶은 표정을 역력하게 지어 보였지만, 중간중간 초코칩의 초코같이, 설레는 표정도 보였다. 맛집 대기와 맞먹는 시간을 보내고 나서야, 민호는 1분여의 신속한 신속항원검사를 받을 수 있었다. 유리벽을 사이에 두고 마주한 우주복을 입은 성별 미상의 인물은 펜싱을 하듯 가는 쇠작대기를 코 깊숙한 곳 까지 찔러넣었다. 눈물이 핑 돌며 아찔한 느낌을 받은 민오는 두고보자 하는 복수짐을 가지고 보건소를 빠져 나왔지만, 우주인의 얼굴을 알지 못했다.

*

벌써 네 바퀴째, 잘못 없는 TV의 채널이 돌아간다.

일주일이나 더 남은 격리기간을 앞에 둔 민오는 채널 돌리기를 포기하고 공간의 반을 차지한 본인의 침대에 몸을 던져 눕는다. 휴대폰으로 잔여백신 예약 사이트를 들어갔다 나왔다, 다시 들어갔다 나오는 순간 진동이 짧게 울린다. 보건소의 문자다. 민오의 PCR검사 결과가 나왔다는 안내 메시지이다.

[Web발신] 이민오님(95.10.23./남) 코로나19 PCR 검사결과 음성입니다.

그리고 다섯 바퀴째, 잘못 없는 TV의 채널이 돌아간다.

하얀색

캔버스

서
규
린

　나는 당신이 왜 그런 말을 남겼는지 이해가 되지 않았다. 당신이 남긴 말로 우리였던 공간에 이젠 나 혼자 남게 되었다. 텅 비어버린 공간. 공간은 깔끔해졌다. 아무것도 안 남긴 채. 때문에 나는 변해야 했다. 이 공간에 새롭게 적응해야 하기 때문이다. 마음을 단단히 먹었다.

　우리가 고른 이 집은 바다가 보이는 곳이다. 현관을 들어가면 보이는 큰 베란다 창 너머엔 저 멀리 바다의 수평선이 보인다. 우리는 그 풍경이 맘에 들었다.

　높은 층을 고집한 이유가 있지. 우쭐대며 말하는 게 퍽 귀여웠다.

　이 아파트는 전체적으로 깔끔함을 강조하기 위해 하얀색으로 통일한 듯 싶다. 이러한 점이 맘에 들어 이 곳을 우리들의 공간으로 정한 것도 있었다.

오랜만에 외출 후 들어오는 집. 커튼을 친 집 안은 껌껌했다. 하얀 암막 커튼 사이로 빛이 힘겹게 들어온다. 커튼을 치자 금방 환해졌다. 밝은 거실은 오랜만이다. 거실에는 2인용 아이보리 가죽 소파와 맞은편엔 벽걸이 TV만이 놓여져 있었다. 그게 꼭 집이 아니라 병원 대기실 같이 보였다. TV를 볼까하다가 문득 재미없겠다라는 생각이 들어 거실을 지나 방으로 들어왔다. 퀸사이즈의 침대가 하얀 이불에 덮여 있었다. 잔뜩 주름지고 엉망인 이부자리. 옷만 갈아입었다. 같은 옷을 입은지 며칠 되었다. 세탁기에 넣놔야지라고 생각하며 대충 던져났다. 주방으로 향했다. 주방도 마찬가지로 하얬다. 식기들도 은색 식도구를 제외하면 다 하얬다. 언뜻 보면 정신 병원을 연상케 하는 공간이다. 밥을 먹을까 했지만 입맛이 없어 다시 거실로 나왔다.

나는 이곳에서 무엇을 할지 고민하다. 누군가가 추천한 취미를 해보기로 마음 먹었다. 그것은 그림. 그림을 완성하는 것. 그것이 여기에서 유일할 할 일이다.

티끌 하나 없는 하얀 캔버스. 내 손으로 무엇이든 만들어낼 수 있는 곳.

비어있는 이 공간에 나만의 무언가가 채워졌다. 처음이었다. 내가 무언가를 채운 건.

이제 나도 뭔가 채워야 될 것 같다는 생각이 들어서 그런 것일지도 모른다.

뭘 채워야 할까? 난 뭘 채우고 싶지?

—

오늘 아침도 씨리얼이다. 마트에서 늘 사오는 파란 바탕에 한 껏 몸집을 부풀린 호랑이. 힘이 나는지는 모르겠지만 아침에 무 겁게 먹고 싶지 않았다. 하얀 벽지에 하얀 타일 그렇게 크지 않 은 식탁 옆, 내 몸에 알맞은 원목의자에 앉아 하얀 그릇에 부은 씨리얼과 우유. 늘 같은 숟가락으로 먹었다. 멍하니 씨리얼을 떠먹다 보이는 이젤 위에 캔버스. 캔버스도 나를 보는 듯 했다. 자신 있으면 자신을 그려보라는 듯이다. 나는 자신이 없어 슬쩍 시선을 떼 바다를 바라보았다.

점점 밝아지는 빛에 커튼을 쳤다.

—

나는 내 규칙을 깨보기 위해 늦게 자보았다. 늦게 일어났고 머리가 조금 아팠다. 그게 썩 좋진 않았다. 평소보다 늦은 시간 에 하루를 시작하는 건 생각보다 어색한 일이었다. 나는 아침인 씨리얼을 먹어야 할까? 아님 점심시간을 지나고 있으니 이 시간 에 맞는 식사를 먹어야 하나? 이런 사소한 것들을 일일이 결정 하는 건 나에게 엄청난 힘이 들었다. 좋지 않은 것 같다. 다시는 이런 짓을 하지 않으리. 다짐했다.

—

　가만히 소파에 앉아 TV 화면에 비치는 내 모습을 바라보았다. 검은 공간에 있는 하얀 내 모습은 꼭 공포 영화 속 귀신 같았다. 모든 것이 흐릿했고 어두운 곳에 유일한 혼자인 하얀색. 눈을 돌려 캔버스를 보았다. 비워져 있던 공간에 저거 하나 있다고 이질감이 든다. 나는 저것을 사고 오랜만에 마주 앉아 어떤 그림을 그릴지 구상했다. 아무것도 묻지 않은 붓으로 슥슥 그려나갔다. 무엇을 그리는지 몰랐다. 그저 손이 가는대로 그릴 뿐. 그렇게 그린 캔버스는 하얀색. 나는 다시 붓을 들었다. 이번에는 명확히 생각하며 손을 움직였다. TV에 비춰진 내 모습을. 하얀색. 마찬가지로 아무것도 그려진 게 없었다.
　아무것도 없었다.
　세탁기가 다 돌아가는 소리가 들린다. 붓을 내려 놓고 미련 없이 돌아섰다.

—

　하얀색, 하얀색, 하얀색, 하얀색. 다시 하얀색. 축축히 젖어 무거운 세탁물들. 그것들을 탁탁 털어 건조대에 널어두었다. 빨강 -. 빨간 후드티가 나왔다. 다행히 색이 물들지는 않았다. 전혀 어울리지 않는 이것. 나에게 그림을 권했던 이의 것이기도 했다. 그리고 여기서 나오면 안되는 옷이기도 했다.

혼란스러웠다. 이게 왜 여기 들어 있는건지 알 수 없었다.

빨래 바구니만 확인을 못했나보다. 미처 확인을 못했다. 확인해볼 상황도 아니었고. 자신의 것을 남기지 말아달라는 그 말을 지켜주지는 못했지만 내심 행복했다. 젖은 후드티를 그러 안았다. 섬유유연제를 많이 넣었는지 향이 진하게 올라왔다. 냄새가 완벽히 없어졌다.

나는 다급히 옷에 코를 박았다. 냄새가 나지 않는다. 어디를 맡아도 나지 않는다. 냄새가 강해 좋아했던 섬유유연제 냄새가 그렇게 원망스러울 수 없었다. 내 탓인 걸 알면서도 누군가를 탓하고 있다. 유일하게 남은 거였는데 그것마저 없어져 버렸다.

나는 그렇게 얻지도 못한 채 허무하게 잃었다. 탓할 수도 없는 허무였다.

—

깔끔하게 정리된 이불의 끄트머리만 살짝 들어 올려 이불이 크게 흐트러지지 않도록 조심조심 들어갔다. 얌전히 누운 후 바라본 천장은 까맸다. 잠들고 싶지 않은 밤이다. 눈을 몇 번 깜빡였다. 눈이 어둠에 적응했는지 주변 식별이 가능해졌다. 살짝 열린 커튼 사이로 빛이 들어왔다. 그 불빛은 생각보다 밝았다.

나는 커튼을 치기 위해 일어섰다. 물론 이불이 망가지지 않게. 그리고 본 창 밖은 눈이 내리고 있었다. 펑펑 내리는 눈. 대설특보가 내려질 듯한 커다란 눈송이들이었다.

나는 무슨 생각이었는지 모르겠으나 거실로 나왔다. 온기가 떠난 곳의 공간은 무서우리만치 춥고 조용했다. 나는 거실의 커튼을 비집고 들어오는 빛에 의지한 채 캔버스 앞에 앉았다.

가만히 손을 들어 캔버스를 만져본다. 매끈한 것도 같고 거친 것도 같았다. 커튼을 쳤다. 눈이 내려 빛이 평소보다 더 밝은 듯했다. 나는 커튼을 쳐 내리는 눈과 하얀 캔버스를 비교해보았다. 하얬다. 나는 하얀 바탕만 있는 것과 검은 바탕에 내리는 하얀 점을 비교하면서 그 기나긴 새벽을 보냈다.

—

도저히 어떻게 시작해야 할지 모르겠어. 그리고 후드티 이제는 돌려줘야 될 것 같애.

나는 문자를 남기고 캔버스를 보았다. 아무것도 없는 그게 갑갑하게 느껴졌다.

문자에 답은 오지 않았다.

오늘도 어김없이 아침이 왔다. 어제와 같이 자리에서 일어나 이부자리를 정리하고 이제는 익숙하게 씨리얼을 꺼내 그릇에 붓는다. 마찬가지로 우유도 부어 말아 먹는다. 오늘따라 이 일이 새삼스럽게 느껴지는 이유는 뭘까. 모르겠다.

마음을 다 잡고, 캔버스 앞에 앉아 붓에 물감을 묻힌다. 강렬한 빨강. 나와는 어울리지 않는 색. 누군가는 아주 좋아하는 색. 얇은 붓에 조심스레 묻힌 후 캔버스에 그리려던 순간-

알람이 울렸다. 약 먹을 시간이었다. 오늘도 내가 변화할 날이 아닌 듯하다.

미술 시간은 다음으로 미뤄야 겠다.

-

내가 저 캔버스를 산 지 열흘이 지나간다. 팔레트에 짜놓은 물감은 진작에 말라 비틀어졌다. 그것만 제외하면 캔버스의 모습은 열흘 전과 같다. 마찬가지로 나도, 늘 자던 시간에 자고 일어나며 정해진 요일에 세탁을 하고 식사 후엔 바로 바로 설거지를 한다. 강박적이기만 한 내 모습이 갑갑하다못해 낯설다. 하지만 나는 이것을 어떻게 바꿔야 할지 모르겠다. 누구보다 변화를 원한다. 너무나 원한다. 이 틀에서 벗어나고 싶다. 하지만 어떡해? 나 혼자선 벗어나는 방법을 알지 못한다. 캔버스에 물감을 칠하는 것조차 겁내는 내가, 저걸 하는 게 무모한 일인가? 고작 색칠하는 일이. 어쩌면 난 바뀌고 싶지 않은 것일 수도 있겠다. …모르겠다.

나는 무작정 나왔다. 추운 날씨와 계속 내린 눈에 녹지 않고 남아 있었다. 사람들이 치워놓은 것인지 길가 한쪽에 눈이 쌓여 있었다. 나는 그 눈을 무작정 파내었다. 이유는 모른다. 손은 추위에 점점 빨개졌다. 소매도 젖어갔다. 그렇게 한참을 판 구덩이에 몸을 돌려 앉았다. 약간 작은 그 공간은 내가 들어가 내 몸 형태에 맞게 눌렸다. 녹지 않은 눈이 내보내는 냉기는 생각보다 더 차갑고 날카로웠다.

나는 눈이 되었다.

길가에 있는 하얀 눈들 사이에 있는 하얀 사람. 약간 붉은 듯 하얀 듯.

－

눈 속에 가만히 앉아 있는 저 사람의 눈에는 무언갈 갈망하지만 그게 무엇인지 본인도 모르는 듯하다. 그저 가만히 그곳에 앉아 있었다. 그렇게 해야지만 자신이 살아 있다는 사실을 믿을 수 있는 듯 했다.

－

사무치는 외로움.

있던 공간에 누군가가 빠지게 되면 빈자리는 더욱 두드러져 보인다.

'나는 그 빈자리를 어떻게 채우는지 모른다.'

저 사람의 울음이 터져 나왔다. 하지만 그 울음은 아무도 들을 수 없었다.
저 사람을 감싸는 눈이 그 소리를 다 먹어치워 자신들과 더 꽁꽁 얽히게 만들었다.

－

어떻게 시작해야 할지 모르겠어.
－익숙한 것부터. 차근차근.
모든 게 어색해.
－노력하면 돼.
그러기 싫어.
－해야 돼.
왜?
－넌 거기 있잖아.

－

캔버스 앞에 앉았다. 왜 이러고 있는건지. 규칙 속에 새로운 규칙이 생겼다. 변했지만 변하지 않은 일상이 되었다.

해가 쨍쨍하다. 베란다에 멍하니 서서 바다에 부서지는 햇빛을 바라보았다. 시선을 밑으로 내리자 빛에 반짝이는 눈이 보였다. 그리고 그 눈들이 녹아 내리는 걸 지켜보았다. 점점 질척여지고 묽어지는 더 이상 고체가 아니게 되는 눈. 그게 꼭 누구를 떠올리게 한다.

나는 얼른 주방으로 달려갔다. 선반을 다 열어 젖혔다. 커다란 그릇이 필요하다. 접시, 후라이팬, 휘핑기- 꼭 이럴 때만 필요한 게 보이지 않는다. 보울을 찾았다. 신발도 제대로 신지 않은 채 현관을 나섰다. 1층에 있는 엘리베이터는 느긋하게 올라왔다. 더 이상 기다릴 수 없었다. 비상계단으로 뛰어내려간다. 저것이 녹는다. 나는 그것을 알고 있다. 그것을 퍼 담아야 한다. 이 생각들이 번갈아 가며 더 빨리 내려가라고 나를 채찍질 했다.

보울 안에 든 눈. 올라간 엘리베이터를 기다리지 못해 다시 비상계단을 통해 올라갔다. 젖은 손으로 도어락을 열기에는 쉽지 않았다. 다급한 마음과 인식이 안되는 지문의 부조화는 나를 점점 미치게 만든다. 드디어! 경쾌한 소리와 함께 문이 열렸다. 그리고 확인친 눈은 소금씩 녹아서 액체가 된 것과 고체가 된 것이 범벅되어 있었다.

점점 녹아가는 그것을 보고 있자니 정신이 번쩍 들었다. 그리고 지금 내 모습. 눈을 퍼 담던 내 모습이 팍-하고 떠올랐다. 손에 상처를 입든 말든 어떻게든 눈을 퍼담는 내 모습. 그것을 이상하게 보던 사람들의 눈빛. 그리고 지금 눈과 흙으로 더럽혀진 내 소매와 바지.

그 모습이 우스웠다. 나는 웃었다. 하나도 즐겁지 않은데 웃었다. 전혀 재밌지 않은데.

나는 변했다. 나는 이곳에 올 때부터 변해 있었다. 근데…, 이건 내가 원하는 모습이 아니었다.

나는 이제 완전히 물이 되어버린 눈을 싱크대에 흘려 보냈다. 다시 얼린다 해도 전과 같진 않을거다. 퍼 온 시간이 무색해지게 물이 된 건 금방 내 손을 떠났다.

이불을 덮지 않은 채 침대에 누웠다. 손에 쥔 빨간 후드티를 펼쳐 보았다. 이 공간에 유일한 원색. 전처럼 코를 대어 냄새를 맡아 본다. 이젠 전과 다른 냄새가 난다. 나는 그러 안았다. 아주 꽈악- 그렇게 뭉쳐진 옷은 가슴을 꽈악 짓눌렀다. 내 심장 박동이 잘 느껴졌다. 그리고 심장이 옮겨진 듯이 그것도 뛰는 듯했다. 후드티에 맞춰 몸을 폈다. 팔을 움직여 소매 부분을 맞추고 어디 구겨진데 없는지 다시 확인한 후 누웠다. 이제 갈 곳 없어 접혀진 모자 부분을 똑바로 펴서 얼굴을 덮었다. 약간 모자라는 숨을 몰아쉬었다. 그것에 맞춰서 오르락 내리락하는 가슴팍에 옷의 무게감이 느껴진다.

가볍다.

떠지는 눈을 억지로 감은 채 잠을 청했다. 이젠 괜찮을 거라고.

빨간 후드티를 입은 채 캔버스 앞에 앉는다. 물감을 묻힌 붓을 든다. 손이 떨린다. 나는 무엇이 무서운 걸까. 이제는 더 이상 잃을 게 없는데 무얼 더 잃을게 남았는지.

가만히 고개를 돌려 밖을 바라본다. 해가 뜨고 있다. 오랜만에 보는 일출은 눈부셨다. 그렇지만 커튼을 치고 싶진 않다. 눈이 약간 시렸지만 찌푸려가면서 해가 뜨는 걸 끝까지 지켜 보았다.

다시 캔버스를 보는 순간, 띠띠띠띠-☎

아 씨!발-

갑작스런 기계음에 깜짝 놀라 반사적으로 팔을 휘둘렀다. 순식간에 일어난 일이다. 캔버스는 바닥 저기 어디에 엎어져 있고, 띠띠띠띠-☎ 이젤도 저 뒤로 넘어가 있다. 부서지진 않은 것 같은데, 띠띠띠띠-☎ 미처 갈지 못한 물통도 엎어진 채 물을 토해내고 있고, 띠띠띠띠-☎ 흐르는 물들이 캔버스를 향해 간다. 난 얼른 그것을 낚아챈다.

캔버스 위에 하얀 선이 죽- 그어져 있다.

죽 그어진 하얀색 물감과 순식간에 난장판이 된 거실. 그 가운데 있는 내 모습이 웃겼다. 다른 사람이 봤다면 진짜 멍청해 보인다고 놀릴만한 일이 벌어졌다. 진짜 웃기네. 얼마만에 이렇게 웃어보는지 모른다. 약간 삑사리 내면서 욕한 내 목소리도 다시 떠올리니 쿡쿡쿡— 그렇게 웃길 수가 없었다. 휴대폰은 저 멀리 날아가 거의 주방에 언저리쯤에 있었는데 다행히 망가진 것 같진 않다. 주워들어 누가 전화했는지 확인해 보았다. 스팸이었다. 그것조차 웃겼다. 웃음을 멈출 수 없어 다시 깔깔댔다. 그와중에도 수신차단은 잊지 않았다.

나는 이제까지 지겹도록 본 캔버스를 다시 바라 보았다.
하얀 캔버스에 하얀 줄.
그게 꼭 나 같았다.

–

베란다를 넘어오는 햇살이 따뜻했다. 오랜만에 느끼는 따스함이다.
캔버스를 볕이 잘 드는 곳에 옮겨 자리를 잡았다.
하얀 캔버스. 이제는 무엇을 그려야 할지 알 것 같다.
붓을 들고 거침없이 채워가기 시작했다.

보석 인형

카
농

매서운 겨울의 찬 바람에 휘날리는 춤을 추며 내려오는 눈이 한 아이의 눈동자에 비춰졌다.

그 아이의 눈동자에 비치는 눈을 조금 더 잡으려 손을 ·뻗으려 했다.

손에 잠깐 내렸다 녹아버린 눈처럼 모든 것이 스쳐간 것이길 바랐다.

그러나 그 아이에겐 그럴 수 없는 일들이 일어나 버렸다.

"엄마 김초연누나 미쳤어요. 지금 이 바람 부는데 창문 열어서 나 감기 걸릴 것 같아요. 혼내주세요."

엄마가 뒤돌아보더니 초연을 다그쳤다.

"초연아 창밖으로 손 내밀며 안돼! 창문 닫아 바람 들어오잖아."

초연은 풀이 죽은 얼굴로 차 창문을 닫았다.

눈 감상을 하려는 자신을 훼방 놓은 것 같은 남동생 도연에게 괜히 분풀이 하고 싶어졌다. 심기 불편한 얼굴에 성질난 고양이같이 앙칼지게 말했다.

"김도연! 너 더 옆으로 가봐 너 엉덩이가 크니까 내가 지금 앉아 있기 불편하잖아.."

초연은 이제 9살이 된 저래도 호기심 많은 새침데기 소녀였다.

"초연아 좀만 참아.."

엄마가 다시 한 번 다그치자 초연은 금새 조용해졌다.

도연을 더 나무라고 싶었지만 조용히 째려보기만 했다.

"우리 싸우지 말자!! 너희가 싸우면 아빠는 너무 슬퍼! 노래 부르자!"

비좁은 이사차 안에서 아빠는 그래도 신났는지 차안 가득 울리게 노래를 크게 틀었다.

도연 또한 초연을 잠깐 째려보다가 앞을 보더니 노래 부르기 싫지만 억지로 부르며 아빠의 장단에 맞추어 주었다.

이사 간 그 날 시골의 풍경은 하얀 솜이불 덮은 것 같은 평화롭고 따뜻한 느낌이었다.

이삿짐을 도우러 나온 짐꾼들과 가족들은 짐을 집 안으로 들여 놓기 시작했다

초연의 집을 중심으로 양 옆에는 집이 두 채 더 있었다. 그 집 두 채를 번갈아가며 바라보았는데 회색의 대문 앞에 한 여자아이가 나와 가족들의 이삿짐 나르는 것을 가만히 보고 있었다.

흰 피부에 큰 눈 예쁘고 정갈하게 자리잡은 입술 갸름한 얼굴형

까지 너무 예쁜 아이였다.

초연은 이사를 하다 말고 그 여자아이를 쳐다 보고 있었다.

"누나 뭐해? 짐 안 나르고?"

도연이가 와서 초연의 팔을 꼬집고 말았다.

"아얏!"

초연이 도연을 째려봤다.

"아 뭐보는데?"

하며 도연도 초연이 바라본 곳을 보았는데 도연에 눈에도 보였다.

도연의 눈에도 그 여자아이는 오밀조밀한 이목구비를 한 여자였다.

두 남매가 쳐다보자 민망했는지 부끄러운듯 웃더니 두 남매 앞에 다가왔다.

"너희 오늘 이사 오는 거야 여기로?"

목소리조차도 귀여운 여자였다.

"반가워 나는 이소희야 여기 살아 앞으로 친하게 지내야 되겠구나?"

라며 손을 내밀었다.

두 남매는 소희라는 여자아이를 멍 때리며 바라볼 뿐 아무 반응도 하지 못했다.

넋을 잃게 되는 귀엽고 앙증맞은 미소로 자기소개를 하는데 두 남매는 바로 대꾸할 수가 없었다.

"아이고! 우리 이사 오자마자 친구가 생겼네?"

하며 엄마가 뛰어오며 반갑게 인사해주셨다.

"미안해 우리 집 정리 다 하면 맛있는 거 만들어서 돌릴테니까 좀만 기다려줘.

우리 자주 볼 거잖아?"

라며 엄마가 소희에게 상냥하게 말하고는 남매의 손을 잡고 집 안으로 들어갔다.

엄마 손에 이끌려 가는 두 남매는 그렇게 소희라는 아이의 예쁜 얼굴을 보기 위해 다시 돌아 봤다.

"우왕 이제 여기가 우리집이네? 빨리 들어가자!!"

엄마의 감동 섞인 멘트가 거실안에 울렸다. 새로운 집으로 돌어오니 매우 낯설지만 이제 좀 따뜻하고 숨통이 트이는 느낌이었다.

"어머 아까 그친구 너무 예쁘더라.. 시골에 그렇게 예쁜 애가 다 있네?"라고 말하셨는데 어느새 부엌에 들어가 계셨다. 초연의 엄마는 그 이삿짐을 다 옮기고서도 힘든 기색이 없었는지 앞치마를 매더니 부엌에 들어가서 음식을 만들기 시작했다.

초연도 옆에서 도와주고 싶었지만 이사를 하며 기운을 다쓴 탓에 도와주지 못하고 거실 바닥에 누워 부엌에서 분주한 엄마를 쳐다보기만 했다.

그러다 밖에서 마치 어린이들 합창 같은 인사 소리가 들렸다.

"안녕하세요?"

"저는 이소희인데요 저쪽 집에 친구도 데려왔어요."

"오 그래 너는 이름이 뭔데?"

상냥하게 웃는 엄마는 남자아이의 이름도 물어봤다.

"저는 현우에요."

현우의 뒤로는 엄마로 보이는 분이 밝게 인사하셨다. 꼬불한 중단발의 파마머리가 발랄한 이모 같은 느낌이 들었다.

"현우 엄마에요. 여기서 새로운 이웃을 뵙게 되다니 너무 반갑다. 저 이사오신다는 소식 듣고 저희가 이렇게 맛있는 걸 싸왔어요."

현우의 엄마는 방실방실 웃으며 현우와 소희를 데리고 집안으로 들어오셨다.

"그래? 소희랑 현우는 나이가 어떻게 돼?"

소희와 현우는 둘다 자신들이 9살이라고 말해주었다.

'아. 지금 졸린데...'

초연은 눈을 반쯤 뜨고 일어나 앉았다. 졸리기도 하지만 배가 고프기도 한 것이 배에서 꼬르륵 꼬르륵 소리가 났다.

"아 너무 춥다 우리 지금 들어가도 되죠?"

소희 엄마는 소희의 손을 잡고 빠른 동작으로 집으로 들어왔다.

"초연 아빠 상을 좀 펴봐요."

아빠는 초연이 옆에서 대자로 누워 자고 있던 도연이를 억지로 일으켜 세우셨다.

세상모르고 자고 있던 도연이는 아빠 때문에 눈이 풀린채 일어났다.

어안이 벙벙한 듯 주위를 돌아봤지만 여전히 졸린 초연이와 도연이었다.

아빠는 아랑곳 않고 옆으로 비키라는 신호로 손짓을 몇번 하시더니 비켜진 자리에 큰 상을 하나 펼치셨다.

큰 상위에는 초연의 엄마가 준비한 음식들과 현우와 소희의 부모님들이 가져온 음식에 상다리가 휘어질까 불안할 지경이었다.

현우의 가족과 소희의 가족이 들어온 거실 문 밖으로 추운 겨울 바람이 숭숭 들어왔다.

그 찬 바람이 방 안의 공기를 훑고 지나간 후에 겨울인게 실감이 나버렸다.

"저희는 현우 태어나기 전부터 이곳에서 나고 자랐어요."

현우의 아빠는 처음 보는 사람인데도 친근감 있게 말씀을 잘해주셨다.

"현우 만들기 전에는 우리 둘이 국민학교 때부터 고등학교 때 까지 쭈욱 친구로 지내다가 결혼하게 되었어요."

그런 현우의 아빠의 말에도 초연은 관심이 가지 않았다 오로지 소희의 예쁜 얼굴이 더 관심이 갔다. 어른들의 이런 통성명과 추억담을 듣는 것보단 소희의 얼굴 감상이 더 재밌는 것이었다.

소희의 아빠만 없는 게 이상해서 초연은 소희에게 질문을 하나 했다.

"소희야 너희 아빠는 언제 오셔?"

라고 동그란 눈으로 소희에게 물어보았다.

"소희 아빠? 소희 아빠는 서울에서 일하는 중이야. 되게 바쁘셔."

현우는 갑자기 끼어들더니 소희 대신 초연에게 대답해버렸다.

초연은 빵을 우물우물 씹어먹으며 현우는 왜 소희한테 듣고 싶은 말을 자기가 하는 거야? 라는 생각이 들어버렸다.

"소희네 아빠 엄청 돈 잘 버셔. 가방 만들어서 파시잖아 바쁘셔서 자주 못 와."

'그렇담 돈을 많이 버는 거 아니야? 어쩐지 예뻐 보이는 얼굴이네..'

소희의 얼굴을 보며 엉뚱한 생각이 드는 초연이었다.

"나 오늘 소희 누나 처음 봤는데요 장가 가고 싶어요."

"김도연 너 쪽팔리게 그게 무슨 소리야. 우리 오늘 처음 봤어."

"그러니까 처음 봤는데요,라고 했어."

"그러면 뭐 달라? 헛소리하지마. 이놈아.. 아는 것도 없으면서.."

으이구 하며 초연이 빵 하나를 도연이 머리 위에 겨눠 던졌는데 빵이 도연의 얼굴 정면에 부닥쳤다가 바닥으로 힘없이 떨궈졌다.

"빵을 그렇게 동생한테 던지면 어떡하니.. 얼른 주워 그건 예의 없는 행동이잖아."

라며 엄마는 초연을 혼내셨다.

"도연아 그래도 부모님의 허락도 없이 그러는 건 곤란해."

라며 소희 엄마는 온화한 미소로 도연이에게 농담스러운 느낌의 진심을 전하셨다.

"이미 늦었어 동생! 소희는 나랑 결혼할 거야. 그렇지? 우리 집에 시집오면 힘든 일 없어."

라고 현우는 씩씩하게 소리쳤다.

'소희는 예쁘니까 남편도 일찍 생겼네. 좋은 일인 건지 나쁜 일인 건지.. 모르겠네..'

현우와 소희는 보아하니 소꿉친구가 아니라 결혼까지 약속한 사이인가 보다 싶었다.

초연은 결혼한다는 현우의 말에 질문을 하나 했다.

"그럼 너희 결혼하면 아기 낳을 거야?"

"당연하지! 열 명은 낳을 거야. 소희야 우리 그러기로 했잖아."

현우는 소희와 9살이라는 어린 나이에 이미 미래계획을 다 마친 상대로 보였다.

어이없는 결혼 발표에 집에 안에 있던 사람들은 황당했지만 다들 그렇게 심각하게 받아들이지는 않았다.

"지나간 9년의 인생은 잊어버려요. 앞으로의 인생은 어떻게 될지 몰라요."

라며 도연이 근엄한 척 진지하게 말하였다.

시끄러운 이사날의 하루는 지나갔고 새로운 아침이 시작되는 날이었다.

초연은 소희를 자신의 집으로 초대했다. 새로운 집에서의 그 첫겨울..

초연의 이불 안은 바빴다. 초연과 소희는 얇은 담요를 덮어쓰고 바비인형들의 옷잔치를 벌였다.

"드레스를 입어볼까?"

결국엔 벌거 벗겨진 바비인형을 들고 초연은 고민에 빠져있었다.

"별로야.. 이 양말 너 신을 거야? 내가 이거 잘라서 원피스 만들어볼게!"

라며 소희가 초연의 알록달록한 양말을 손수 들어 가위질 하기 시작했다.

소희가 그렇게 옷을 만들어 인형에게 입히니 인형에게 평소와 다른 분위기가 생겼다.

그 초연의 생각에는 다른 화려한 장식이 있는 드레스보다 예쁜 옷을 입혀주었다고 느꼈다.

소희는 또 다른 바비의 남친에게는 바지를 하나 입혀주었다. 갈색 계통의 골덴 소재의 바지와 베이지색 니트 어딘가 촌스럽기도 하고 어떻게 보면 확실히 추운 겨울에는 따수울것 같은 그옷을 입힌 소희는 그 지나친 촌스러움에도 불구하고 인형을 보며 마냥 해맑고 즐겁게 웃고 있었다.

그렇게 소희와 같이 했던 인형놀이를 하던 매일매일이 즐거웠다.

그러던 어느날 초연은 소희처럼 가위를 들고 집을 헤집고 다녔다.

옷만 보이면 삭둑 삭둑 잘라내었다.

"어머 초연아!! 너 이 옷을 이렇게 잘라버리면 어떡해..!!!"

그 옷은 엄마가 아끼는 하얀 실크 원피스였다.

혼이 날만하다 엄마는 노발대발하며 혼냈지만 초연이 어린 탓에 그런 것이지 라고 금세 체념해버렸다.

어느새 화를 풀고 다시는 그러지 말라고 하셨다.

그렇게 혼나버린 초연은 그 후로 다른 소재를 찾기 시작했다

바로 부모님들이 혹은 가족들이 신다 버린 양말 들이었다.

물론 그 허름한 양말들은 가족들에게 꼭 허락을 맞고 가위질 하기 시작했다.

그 양말들은 인형에게 입히기 위해 찢고 자르고 엉성한 제단 꿰메고 누더기 같지만 제법 원피스 모습을 하고 있는 옷이 한벌 완성 되었다.

완성되었다고 초연은 느끼지 모르지만 사실은 많이 엉성하고 실밥이 튀어나온 해괴한 모습의 원피스였다.

양 치마의 길이는 다르고 치마 옆은 제대로 꿰매어져 있지 않아 트임을 일부러 낸 건가 싶은 모양새를 하고 있었다.

예쁜 드레스를 입히기보다 어설픈 옷을 입히는 그런 모습을 한 인형을 보는 것이었다. 초연에게는 그게 재미였다.

그것이 그 고즈넉하고 조용한 시골에 있는 유일한 재미였다.

눈이 내린 어느 날 겨울방학을 앞둔 초연은 학업을 마치고 집 으로 돌아오는 길이었다.

집에 오니 인형이 보이지 않았다.

"엄마 인형 어디 갔어?"

"글쎄 나도 모르겠는데.. 저기 방에 있던 거 봤었는데.."

초연이 이리저리 인형을 찾으러 돌아다니는데 개인 방안에 침대 바닥 안에 인형이 있었다. 옷은 벗겨진 채로 머리와 얼굴이 분리 되어 있었다.

마음 속 깊은 곳에서부터 불이 나는 기분이 들었다. 누가 그랬을까 생각을 잠시 해보았다.

이 짓을 할 수 있는 것은 나의 원수 같은 가족인 남동생 도연이 밖에 없었다.

집 쇼파에 뒹굴고 있는 남동생을 추궁하듯 말했다.

"이거 니가 그랬어? 왜 머리를 분리해 놓고 난리야..."

"왜? 왜 내가 그랬을 거라 생각해?"

남동생의 말에 생각해보면 남동생이 그럴 것이라고 확신이 들지만 본인이 안 했다고 발뺌하고 나오니 할 말이 없어졌다. 체념한듯 다시 인형의 머리를 붙이러 돌아갔다.

도연은 항상 엉뚱한 짓을 해놓고 아니라며 발뺌하곤 했다. 어이가 없지만 그만하래도 얄밉게 말도 안들을 애였다.

"으이그 지가 그래 놓고 아니라고? 짜증나게 하네.."

새로운 인형이 필요하다는 생각이 들어 잠시 고민에 빠졌다. 이왕 이게 망가진 김에 엄마에게든 아빠에게든 새로 사달라 할까?

하지만 이 인형과 정이 많이 든 상태였었다. 초연은 잠시 인형을 내려놓기로 하였다.

"미미 지금 상태를 보니 더 이상 같이 놀 수가 없겠어..."

인형의 이름에 붙여놓았던 미미라는 이름을 마지막으로 부르고 그 인형은 함께 했던 작은 옷들과 함께 빈 상자 속으로 들어갔다.

초연의 나이 13살 즈음 학교에는 한창 인터넷이라는 또다른 세상이 나타났다.

그 세상 속의 사람들의 언어는 다채롭고 다양했다. 파도처럼 쏟아지는 정보 속에 그 글들을 골라 읽는 재미는 쏠쏠했다.

철부지 같은 우리 남매는 부모님께 그 비싼 컴퓨터를 사달라며 졸랐다.

그러나 컴퓨터가 도착하자 동생은 몇번 하더니 재미없다며 방에 들어가 공부만 하기 시작했다.

그런 행동을 하는 도연을 보고 초연은 머릿속에 환호성과 축포가 울렸겠다 싶었다.

그 컴퓨터는 이제 온전히 초연의 것이 되었기 때문이었다.

옆집 사는 소희와 현우도 종종 컴퓨터 게임을 하러 놀러왔다.

쫑알쫑알 옹알이 같은 그런 글.. 예의없고 쓰레기통에서 갓나온 음식물 찌꺼기 같은 그런 글들 어떻게 그런 일이 있나 싶을 정도로 속상한 감정이 드는 암울한 이야기들

초연과 찰떡같이 잘 맞는 취향을 가진 존재들까지..

자그마한 인형을 두고 저마다 자신이 낳은 아이인냥 사랑스럽고 소중하게 소개하는 글이 올라왔다.

이떤날에는 이런 게시글이 올려져 있었다. 주인이 인형의 머리색을 바꾸어 주었는지 검은 생머리에서 노랗게 탈색된 머리에 흰비니를 쓰고 있었다.

평범한 변화이지만 항상 예쁘다며 칭찬을 한가득 담은 댓글을 달아주곤했다.

그 외에도 그 안에는 명품 브랜드의 패션쇼도 곧 잘 올라왔

다.

길쭉한 몸매를 뽐내며 고급스럽게 재단된 옷과 눈이 부시는 부드러운 소재들이 주는 색색의 조화는 화면 안을 튀어나올듯 했다.

그 화려함은 초연의 눈을 압도 해버렸다. 그 색채와 화려함의 조화는 충격적이기도 환상적이기도 하였다. 초연은 옷이라는 주제가 주는 예술에 홀렸다.

몸과 머리가 분리된 처참한 꼴을 한 그 인형의 모습때문에 고민 끝에 인형 놀이를 접게 되었던 지난 과거가 떠올랐다.

그날 상자속에 담아 놓은 미미를 다시 꺼내는 상상을 해보았다. 미미에게 새로운 이름과 새로운 드레스들을 입혀주는 그런 상상이었다.

호기심 많은 초연을 자극하는 영상들과 사람들의 다양한 이야기들 무엇을 꿈꾸어야할지 조금은 알게 되는 나이가 되었다 생각됐다.

맴맴

매미가 우는 여름 어느 땡볕 아래에서 어린 초연과 도연은 땀을 흘리며 땅에 호미질을 하고 있었다

초연의 부모님이 열심히 작업해 놓은 고구마가 결실을 맺었다. 겨울내 흙 속에서 묻혀있던 그 붉은 얼굴을 드러내는 시기였다.

옆에 엄마도 아빠도 같이 호미질을 하며 작업을 하기 바빴다. 밭에는 초연도 처음 보는 일꾼들이 분주히 수확을 하고 있었다.

매미들의 합창 같은 울음 소리에 초연의 귀가 시끄러워 어질어질 해질 지경이었다.

하늘에 뜬 더운 태양의 햇빛 때문에 눈부셔서 그런 것도 있겠지만 매미소리는 더 초연의 신경을 날카롭게 만드는 것 같았다.

그래서인지 호미질을 열심히 하고 있어도 고구마를 캐는 작업 속도는 제자리 걸음일 뿐이었다.

저멀리에서도 현우와 현우의 엄마 아빠도 열심히 고구마를 캐고 계셨다. 소희도 일을 돕겠다고 손을 걷어 붙이고 호미질을 하고 있었다.

세 가족은 그렇게 모여서 서로 일이 있으며 다 같이 움직이는 게 시골의 일상이었다.

"아야!"

초연이 머리를 부여잡으며 뒤를 돌아봤다. 초연의 뒤통수를 아프게 하고 떨궈진 고구마를 잠깐 내려다 보았다.

"누가 고구마를 내 뒤통수에다가 던지는 거야?"

"김초연 누나 고구마 캐놓은거 보래요 이거 뭐야.."

고구마에는 여기저기 서툰 호미질로 인해 상처가 가득 나 있었다.

"고구마 이렇게 캐서 어떻게 팔아? 바보야 집안 살림을 거덜 낼려고 하네.."

라며 도연이 초연의 어설픈 호미질을 혼냈다.

현우가 오더니 고구마를 주워 이리저리 살펴보았다.

"아 이거 너무 심하네 고구마 껍질을 미리 벗겨 놓은거 아냐? 친구 이렇게 해서 어떻게 세상 살겠어?" 라며 다친 고구마를 초연의 눈앞에 갖다댔다.

그들이 초연에게 그런 잔소리를 하였어도 초연이 그것을 받아들일리도 반성할리도 없었다.

"아 다른 거 잘 캐면 될거 아냐, 그렇다고 그 딱딱한 걸 머리에다 던지면 어떡해."

입은 잘 캔다고 하지만 속으로는 집에 가서 눕고 싶은 기분이었다.

황황한 벌판 같은 그 고구마 밭의 작업이 언제 끝날지 한숨이 쉬어진다.

밭의 저 끝을 보아하니 아지랑이가 일렁 거려보였는데

'아..매미 소리 시끄럽네?'라며 목소리를 내는 아지랑이의 소리를 분명히 들었다 다른 사람들은 미쳤다고 하겠지만... 마치 초연의 마음을 대신 말해주는 것 같았다.

초연의 눈에는 아지랑이가 말을 거는 것만 같았다. 눈을 비벼 다시 아지랑이를 보았는데 그냥 아지랑이일 뿐이었다.

눈앞에 갑자기 어질어질한 느낌에 하늘을 잠시 올려다 봤는데 태양 빛조차도 말을 했다.

'너 겨우 그거 밖에 못하는 거니?'라며 비웃듯이 초연을 놀리는 것 같았다.

어설픈 호미질을 하다 잠시 쉬려는 사이 착각에 빠져버린 초연과 달리 소희는 조곤조곤 고구마를 캐내었다.

초연은 다시 정신을 차리고 땅에 반쯤 고개를 내민 고구마의 머리를 조금씩 조금씩 파내기 시작했다 방금 전에 상처난 고구마처럼 만들지 않기 위해 고사리 같은 작은 손으로 살금살금 고구마를 파내려고 하였다.

고구마의 몸통이 반쯤 드러났다. 다행히도 상처나지 않게 조심히 잘파내어진 기분이 들었다 조그만 성취감이 들려하던 때였다.

고구마는 입을 우물쭈물 움직이며 무언가 말하려는 것 같았다.

우물쭈물 입이 움직였다. 만화 속에 나오는 캐릭터가 입을 내보이며 말을 거는 느낌이었다.

"뭐라고? 너 뭐라고 하는 거야?"

라며 초연이 고구마를 캐다 말고 고구마에 자신의 귀를 갖다 대었다.

'다시 흙으로 나를 덮어줘 바깥공기는 너무 더워...'

초연이 고구마에게 들은 소리가 이 말이었던 것 같았다.

"김초연 누나 또 이상하네. 갑자기 밭에 드러눕고 뭐하는거야? 그렇게 드러누울꺼면 꺼져"

도연이 초연의 엉덩이를 발로 찼다.

도연은 일이 서툰 초연을 다그치려 했지만 엄마는 초연이가 아픈것이 아닌지 엎드려 있는 초연을 보며 말을 걸었다.

그제서야 초연은 느꼈다. 너무 더운 나머지 환청이 들렸을 뿐이라는 것이었다.

"초연아 아파? 먼저 들어 갈래?"

엄마는 초연이 얼굴에 땀이 흥건한 것을 보고 일 쉬어야 한다는 직감이 들었다.

초연은 아무렇지 않았지만 엄마가 보는 초연은 전혀 그래 보이지 않았나 보다 고구마처럼 빨간 볼에 온몸이 식은 땀이 나있는 것 같았다.

병원을 갈 정도는 아닌 것 같아 초연의 부모님은 초연을 집으로 돌려 보내려 했다.

"응. 나 집에 갈래."

초연이 할 수 있는 최선의 말이었다.

여름 땡볕에 더위를 먹었는지 붉게 달궈진 얼굴에 어눌하게 겨우 말을 꺼냈다.

다른 어른들도 애들을 얼른 집에 보내야겠다며 맞장구를 쳐주셨고 초연 도연 남매와 멀쩡히 일하고 있던 현우와 소희도 집으로 돌아가라 하셨다.

셋은 나란히 집으로 돌아가는 길을 터벅터벅 걸어갔다.

해가 조금 질려는 어둑한 시간에 매미소리는 잦아 들었지만 여전히 거슬렸다.

현우가 가운데서

"초연아 너 아까 왜 바닥에 누웠어?"

"아 아까 머리가 너무 아픈 거야. 고구마가 말을 하더라고.."

소희와 현우가 동시에 초연을 이상하다는 눈빛으로 쳐다봤다.

"알아 그럴리 없는 거 왜 이상하게 쳐다봐.. 잠깐 그랬다니까! 고구마가.."

"고구마에 머리 맞아서 충격 받은거 아냐? 꼭 병원을 가봐."

"그 정도는 아닌 것 같아 더워서 헛것 봤겠지."

그들의 하루는 그렇게 마무리 되었다.

그런날 들이 있고 중학생을 졸업해 고등학교 진학을 고민해야 하는 어느날이었다.

"초연아 게임하자!"

소희가 거실 안으로 뛰어 들어왔다. 환하게 웃는 소희의 얼굴을 보았는데 넋을 놓고 멍하니 쳐다 보았다.

소희는 초연이 앉아있는 의자에 자신의 엉덩이를 반쯤 걸치며 게임을 하자며 걸터 앉았다

"뭐해 빨리 게임하자 게임!! 오! 이거 뭐야?"

소희가 초연이 보던 영상을 보며 궁금해 했다. 소희도 이영상이 마음에 들었다.

"나 요새 이거에 관심 생겼어!"

"초연이가 디자이너가 된다고? 오호!! 축하해 빨리 끄고 게임하자 게임!!"

이렇게 게임을 좋아하는 소희는 이상하게 공부는 곧 잘 했다. 언제 공부를 그리 열심히 했었는지 상위권은 아니였지만 인문계를 진학하기에는 무리없는 성적을 유지하는 학생이었다.

고등학교를 진학을 결정해야 할 때 소희는 인문계열 고등학교를 진학히기로 결정했다.

그러나 초연은 이상하게 학교 가기가 싫었다. 공부에도 소질 없는 자신이 공부를 계속 해나가야 한다는 것에 자신이 없었다.

그렇게 중학교의 마지막 겨울방학이 시작되었고 초연은 여전히 진학에 대한 고민을 하고 있었다.

"저 고등학교 안갈래요. 검정고시 보게 해주시구요. 의류디자

인학원 등록해주세요!"

"왜? 고등학교 안 갈려고? 나중에 어른 되면 학창시절의 추억이 그리울텐데 후회되지 않겠어?"

라며 아빠는 반대하지 않지만 초연이 정상적인 평범한 친구들의 학창시절을 보내는 게 어떻겠느냐고 말을 건넸다.

"아니야 친구는 또 생기겠지. 그래도 되지?"

라는 초연의 질문에 아빠는 반대하지 않았다 초연이 원하는 것을 지지해주시기로 결정하신 것 이었다.

부모님의 허락을 맡고 진학을 포기하는 서류를 학교에 내고 홀가분히 집으로 돌아오던 날이었다.

현우가 새빨개진 눈으로 초연의 집 문 앞에 있었다.

"너 눈이 왜 그래? 울었어?"

"소희네 엄마가 돌아가셨어..."

소희의 집에 들어가니 엄마는 숨쉬지 않는 평안한 모습으로 계셨다.

소희는 엉엉 울고 있었다. 현우도 소희 옆에 엎드려 같이 울었다.

같이 엎드려 우는 사이에 초연이 들어가 둘을 껴 안았다.

현우의 가족과 초연의 가족은 소희 엄마의 장례식을 치뤄주었다. 소희가 필요한 모든 것을 자신들의 가족인 것처럼 다 해주셨다.

소희는 엄마가 돌아가신 정신적 충격으로 인해 우울증이 생겨 진학이라는 꿈을 포기하였다. 진학을 포기한 채 혼자 집에 있는 우울해 보이는 소희를 그냥 둘 수는 없었다.

초연은 그런 소희가 안타까웠다. 초연은 소희를 데리고 서울 길에 올랐다.

그렇게 둘은 학교를 그만두고 도시로 상경해 학원을 같이 등록하였다.

이제 그들에게 사회인이라는 어른의 인생이 시작되는 것. 또 다른 시작이 되었다는 것.

초연은 첫 학원 수업부터 맨 앞자리에서 강사가 부담스러울 정도로 강사를 뚫어져라 쳐다봤다.

강사분들은 초연의 그런 열정 어린 눈빛이 다소 부담스러워 뒤에서 이야기들을 나눴지만 초연 앞에서는 전혀 내색하지 않았다.

화려해 보이는 디자이너라는 직업에도 진득한 역사 공부는 필요했다.

초연에게 1960년대의 예술가들의 역사를 배우는 시간이 있었는데…

그시대의 청춘들의 반항과 아픔 어떻게 보면 청춘이란 단어가 어울리는 시대 아니였을까 싶었다. 그런 생각 때문인가..

초연 또한 그 시대의 예술가가 된 것 같은 착각이 드는 느낌이었다.

공부와 전혀 친하지 않은 학창 시절을 보낸 초연이었지만 그래도 공부와 조금은 친해지는 날이었다.

"안녕? 아침은 먹었어?"

알바를 병행하며 학원을 다니느라 소희는 조금 늦을 때가 많았다. 소희는 어렸을 때 곱고 예쁜 얼굴과 함께 훤칠한 키로 잘 자라 주었다.

초연은 작고 평범한 모습이었지만 소희는 달랐다. 소희는 처음 보는 사람과도 곧잘 어울리고 노는것을 좋아하고 붙임성 좋은 그런 사람이 되었다. 외모 또한 인형같은 얼굴에 훤칠한 키까지 있으니 뭐든 자신감 있는 모습으로 사람들에게 나서는 걸 좋아했다.

엄마가 돌아가시고 우울증이 심해 사회와 단절 까지 결심했던 소희가 이제는 어엿한 사회인이 되었다 어렸을적 슬픔을 다 잊은 모습이었다. 사랑을 많이 받고 자란 밝고 당찬 아가씨 같이 자란 것이 뿌듯 하다는 생각을 매일 들게 하였다.

소희의 모습을 가만히 보면 169cm의 큰 키에 모델을 하는게 더 낫지 않을까? 싶을 정도였다.

아름다운 외모만큼이나 소희는 성격도 좋고 옷을 만드는 실력까지 많이 늘어 강사들의 칭찬을 많이 들었다.

그런 소희와 인생을 같이 할 수 있었던 것은 기분 좋은 일이었다 수업 시간에도 꼭 붙어 앉아 강의를 듣고 연습도 같이 했다

그날도 마네킹에 투박한 원단으로 드레이핑 연습 중이었다. 마네킹은 머리통과 팔다리는 없는 몸만 있는 드레이핑용 마네킹이었는데 몸의 한부분 한부분 자로 대어 수치를 정확히 잰 후 마네킹의 몸통에 맞게 옷의 모양을 만들어 내는 것이었다.

드레이핑이란 작업을 한다는 건 그리 어려운 작업은 아니였었

다.

"아~ 피곤하다 오늘은 일찍 집에 가야 겠어. 너는 어떻게 할꺼야?"

소희는 인형같은 얼굴에 입을 삐죽내밀며 먼저 들어갈 거라고 칭얼거린다.

"난 조금 더 해야겠다. 먼저 들어가!"

라고 해주었다.

먼저 간 소희의 과제들을 정리해주고 초연도 뒤늦게 나가려했다. 항상 개방되어 있는 연습실을 사용해보고 싶었다. 밤새 열정을 불태우고 싶은 마음에 누가 시키지도 않는데 무슨 병이라도 걸렸었는지 그렇게 밤을 새버렸다. 그 열정은 초연에게 해가 되었던 것 같았다.

연습실에서 잠깐 눈을 붙이고 일어났을때 초연에게 무서운 일이 벌어져 있었다.

초연의 마네킹에는 빨간 매직과 초크로 알수없는 낙서들이 그려져있었고. 드레이핑 연습한 원단들은 누가 가위로 잘라났는지 갈기 갈기 찢이겨 있었다.

초연이 놀래 연습실 복도로 나와 숨을 고르고 있었는데 소희가 저 멀리서 걸어들어왔다.

"초연아 너 여기서 밤샜던 거야? 일어나니까 너 없어서 놀랬어. 아침일찍부터 나왔잖아. 전화도 안 받았어 너.. 집에는 들어와야지. 왜 연락도 없이 밤을 새고 그랬어?"

초연은 소희의 말에 아무 대꾸 없이 고개를 숙이고 있었다.

고개를 푹 숙인 소희를 연습실 안까지 소희는 부축하며 데리고 들어갔다.

그런 소희의 눈에는 망가진 초연의 마네킹이 보일 수 밖에 없었다.

"이거 니 마네킹 아냐? 미친 거 아냐? 누가 저렇게 만들어논거야?"

소희는 놀란 눈으로 볼 수 밖에 없었다 그녀의 눈에는 소름끼치는 모습의 마네킹이 먼저 들어 왔기 때문이었다.

"소름끼친다. 지가 무슨 사이코야 뭐 이럴 일이야?"

소희는 옆에서 한참 작은 초연을 쓰다듬으며 걱정해주었다

초연은 눈물이 나오지 않았다 소름끼치는 이 눈앞의 광경에 어떤 대처 방법도 특별히 생각나지 않았지만 금방 정신이 돌아왔다.

"아냐 다시 사면 돼.. 정신 없이 잤네. 미친놈이 이럴 동안 나는 잠만 잤다니.."

"그래 그래도 그 미친놈 잡아야지.. 다음에는 자는척하면서 잘 보고 있어."

소희는 그 미친놈을 잡아보겠다고 했다. 어떻게 잡아내야 할지 감이 안잡혀서 생각에 잠겼는데 무서운 이 상황에 초연의 본능은 배가 고팠다.

"배고프다.."

"배고파? 그래! 초연! 밥 먹고 그놈 잡을 생각을 해보자고.. 빨리 저거 부터 치우자 빨리 빨리!!"

소희와 초연이는 망가진 마네킹 몸통을 분리수거해 쓰레기통에 잘버리는 수습을 마쳤다.

학원 근처에 학생들이 자주 가는 분식점이 하나 있었다. 그렇게 험한 꼴을 수습한 두 여자는 허기진 배를 채우려 분식점 메뉴판을 고르고 있었다.

소희에게 휴대폰이 울렸다. 저 통화 너머 들리는 목소리는 현우 였다.

셋은 여전히 가족만큼 친한 친구였다.

"우리 이거 먹고 현우 것도 사야겠어. 오늘 우리집에 온대"

현우는 이제 체대에 입학한다고 하였다. 어렸을때의 통통하고 둥글한 얼굴은 이제 없고 샤프한 모습이었다. 어렸을때는 소희랑 결혼한다며 황당한 발표를 하던 그아이가 어른이 되어서는 한달에 한번씩 여친이 바뀌어 두 여자를 놀라게 하였다.

"뭐야 이번에도 새 여친이랑 온대?"

초연은 아무렇지 않은 듯 물어보았다. 그것은 매달의 행사였다.

"이번에 뭐하는 여자래?"

"몰라. 이번달은 시간을 좀 갖을 거래."

"시간을 갖어 무슨 말이야.. 연애를 쉰단 말이야? 웬만하면 정착할 생각을 해야지."

한달에 한번씩 바뀐 여자는 왜 그렇게 초연과 소희에게 소개를 시켜주는지.. 상견례를 하는 부모님 마음을 매달 겪는 느낌이었다. 이제 좀 정착하며 살면 안되냐고 말을 해도 현우는 여자 쪽에서 나를 질려하는 것 같다 이런 소리를 해대서 초연과 소희의 속을 뒤집어 놓곤 했었다.

둘은 여전히 현우만 보면 속 터지는 마음만 들었다. 초연과 소희는 항상 현우의 돌발행동이 불안할 때가 많았다. 그래도 어른이 되어서는 많이 얌전해졌지만.. 그런 현우가 새로운 여친이 생길 때 마다 초연과 소희는 말 실수를 할까봐 현우의 여친과 약속을 일부러 멀리하는 일도 벌어졌었다.

오늘은 어떻게 된 일인지 현우가 여친을 데리고 오지 않는다니 이상한 일이라 생각이 들었다. 현우가 초연과 소희가 있는 곳으로 밥 먹으러 온다는 것은 그들에게 새 여친을 소개해준다는 시그널과 같았다.

"어색해졌어. 현우가 여친 없이 우리 집을 온다니.. 현우가 벌써 어색해.. 무슨 큰일이라도 생긴 거면 어떡하지?"

초연은 괜시리 걱정이 들었다.

"나는 이번에 그 친구랑 오래 갈줄 알았었는데.. 결국 한달을 못 버티네 "

소희는 자신의 예상이 빗나간 것이 허탈해 보였다.

"나는 그 언니랑도 깨질 것 같았어. 연상이라고 다를건 없었어. 그간 만나온 현우 스타일에 비해 글래머러스한 분위기가 없이 너무 귀여운 느낌? 그전에 보던 스타일의 언니들이랑 달라서 왠일인가 했지.. 나는 현우에게 고백하는 여자들이 대단해 보여. 나는 길가다 가 현우 스쳐간 여친 만날까봐 조마조마 하다구.."

초연은 현우의 행동이 조마조마 할 때가 많았다.

"이번에 한 번 정신 차리라고 해봐야하지 않을까?"

소희가 이번에는 제대로 현우를 잡아보겠다는 심산으로 보였다.

소희와 결혼한다며 꼬질대고 통통하던 그 어린 얼굴이 샤프하고 잘생긴 훈남으로 자랐다 싶더니 얼굴값을 하며 다녔다.

분식집에서 시킨 떡튀순이 그들만 아는 현우의 비밀을 걱정하는 동안 빨갛게 잘 조리 되어서 나왔다.

"맛있게드세요!"

라며 종업원의 친절한 멘트에 둘은 비로소 행복을 느꼈다.

입맛이 다셔지는 그 비주얼에 오늘 하루 벌어졌던 절망을 뒤로하고 말도 없이 허겁지겁 먹었다.

그린깃들을 먹고 나며 소희와 초연은 속이 풀렸다. 술 먹은 다음날 기분 좋게 해장을 한 느낌이라고 할까..

"아!! 나 학원에 과제두고 왔어"

초연은 드레이핑 자료를 모아둔 과제를 학원에 놓고 오고 말았다. 그것은 초연과 항상 함께 여야만 하는 것을..

"그걸 놓고 오면 어떡해? 나 먼저 집에 갈거야. 오늘은 꼭 정신 차리고 들어와라."

초연은 오으며 알겠디 히고는 하윈으로 먼저 뛰어갔다

학원 안에는 과제를 하거나 마네킹에 옷을 입혀보며 여기저기 수선을 준비 중인 학원생들이 여럿 있었다.

찾으려는 과제를 들고 학원 복도를 나서려는데 한 여자아이가 초연이를 막아섰다.

"너 마네킹 누가 망가뜨린지 나는 알고 있어!"

하얗고 멀건 애가 왜 반말이냐 싶었다.

"뭐? 너 그거 봤어?"

사실 처음 보는 아이인데 초연도 모르게 반말을 대뜸 했다.

"응 나 알아."

라며 희멀건한 그 아이는 초연에게 그것을 안다며 이야기했다

"누구야? 도대체.."

"그건 말해 줄 수 없어. 아직 비밀로 할래. 니가 어떻게 나올 줄 몰라서.."

"내가? 그거는 엄연히 기물파손죄잖아 그런 거 왜 안말리고.."

쎄한 기분이 들었다 혹시 이 정신 나가 보이는 여자가 한거라며서 본인이 아닌척 하는 거 아닌가? 라는 생각이 머릿속을 슥스쳤다.

"혹시.. 누구인지 인상착의만 말해줄 수 있어?"

"그건 다음에 얘기해 줄게.."

그 의미심장한 말을 한 아이는 저 멀리 복도 밖으로 사라졌다.

그 아이를 쫓아 뛰어갔는데 발걸음이 어찌나 빠른지 어느새 사라지고 없었다. 이리저리 그 여자아이를 찾아헤맸다 더 이상 그아이를 찾는 것은 무의미하다 생각이 들어 결국 집으로 돌아갔다.

초연의 지친 몸이 겨우 집에 도착했다. 도착했을 때 본 소희는 휴대전화로 자신의 생얼을 찍으며 매우 흡족해하고 있었다.

그리고는 자신의 사진을 SNS라는 메신저 세상에 올리고 있었다. 초연은 엄두도 못냈었다. 그런 세상 속에 자신의 얼굴을 내놓는

다는 것은 상상할 수 없었다 평범한 그녀의 얼굴이 그런 곳에 드러나게 된다니.. 대범하지못한 소극적인 사람이기 때문이었다.

"이것봐.. 사람들이 벌써 이렇게 내 사진을 봤어."

소희는 자신의 좋아요 수를 보며 매우 기뻐하고 있었다.

자신이 예쁘다는 것이 이제야 비로소 실감이 나겠지..라며 엄청 부러워졌다.

"역시 예쁜 게 좋구나.. 예쁜 사진 올리니까 사람들이 엄청 좋아하네.."

소희가 그런 일을 하는 것에 대해 긍정적인 반응을 해주었다. 그 성격에 그런 일을 한다면 더욱 좋은 일이 많겠지…

"그런가? 초연이 너도 해 봐.."

"이 얼굴을 어디다 들이 밀겠니? 나는 이렇게 사는 걸로 만족해 잘되면 나 좀 껴줘라"

소희는 초연의 반응에 웃다가 갑자기 뭔가 생각난 듯 얘기 했다.

"아 나 생각 났어. 너.. 연습하고 잘때 주위에 카메라를 설치해봐! 휴대폰 카메라로 찍으면 뭐 잡히는 거 없겠어? 카메라 찍고 자는 척 해. 집히면 추궁하지."

초연의 생각에도 그런 방법 나쁘지 않았다 생각 했다.

그날도 초연은 학원생들이 다나간 시간에 마네킹에 연습을 하고 있었다.

어둑한 창 밖 저녁을 보니 잠이 올 것 같았다 쏟아지는 잠을 못 참고 그 잠을 청하기 전에 소희가 말한대로 휴대폰 카메라를 범인이 보이지 않게 몰래 숨겨 났다.

마네킹이 보일 수 있는 각도 정확한 범인의 얼굴을 볼 수 있게 설정까지 해놨다.

그래 잡히기만 해봐라..

라며 초연은 옆에 바닥에 이불을 덮고 잠을 청했다.

다음날…

마네킹의 옷은 반쯤 찢어져 있었다. '역시 이제 범인이 잡히겠구나.'

카메라를 켰을 때 초연은 아연실색 할 수 밖에 없었다. 가위를 들고 마네킹을 때리며 마네킹에 입혀진 옷을 찢고 있던 것은 초연의 뒷모습이었다.

초연은 기억이 안 났다. 그저 잠에 들었을 뿐이었는데.. 초연의 그 자그만 뒷모습 자신이 보아도 악마같은 그 모습에 슬픔에 잠겨 소희에게도 말을 할수가 없었다.

"어때.. 뭐가 찍혔어?"

"아 깜빡 했어 찍는걸 까먹고 그냥 잠 들었어.."

"아휴 그걸 까먹으면 어떡해.. 이제 큰일 났다 너 만만하게 보고 계속 괴롭힐 거야.."

소희에게 할 수 있는 말은 없었다. 그 사건의 장본인이 기억할 수 없는 본인이라는 말은 쉽게 할 수가 없었다. 그제 본 그 아이도 본인의 환상에서 나온 거라 생각하니 소름끼쳤다.

초연은 자신의 모습이 찍힌 카메라를 들고 정신병원을 찾아갔다.

"해리성 정체장애가 의심돼요. 심한 증상이 또 나타난다면 입원을 하셔야 하고요. 사는데 지장이 없으시다며 약을 먹고 꾸준한 치료를 하신다면 좋겠네요. 하지만 이 영상을 보니까 치료가 많이 필요하신 걸로 보여요. 가능하시다면 그 작업은 쉬는 게 좋지 않을까 싶어요."

여러가지 검사를 받고 초연이 찍힌 영상을 의사선생님께 보여드릴때 들을 수 있던 말들이었다.

초연은 준비하고 있는 것들이 많았다. 분명 입원은 불가피하다는 생각이 들었을 것..

차라리 약을 먹는 게 나을 거라 생각해 보였다. 병원에 입원하는 답답한 생활보단 모두에게 비밀로 하고 약을 먹으며 치료할 수 있는 한 최선을 다해 나으려는 의지가 컸다.

정말 나을 수 있는 병일까? 완성한 작품을 또 그렇게 엉망진창 만들어 놓는다면 졸업은 가능한 것이였을까 그런것들.. 그런 고민을 할 찰나에 소희에게서 연락이 왔다.

"초연아! 나 오늘 무슨일 있었는지 알아?"

"왜 무슨 좋은 일이 있엇나 보네? 목소리가 들떠 있는게.."

소희의 들뜬 목소리로 전한 소식은 그녀의 SNS를 보고 사업을 제안을 해온 사람이 있어 허락을 했다라는 소식이었다. 초연에게 불행이 찾아왔지만 다행이었다. 같이 밥먹자고 했다며 초연과 현우를 초대 했다.

그곳은 서울에서 야경이 좋기로 소문난 호텔이었다. 그곳에 허름한 시골촌구석에서 온 세친구가 들어가 식사를 하게 된다는 것이 신기할 따름이었다.

"야 여기 1박 100만원 넘는 곳 아냐? 소희 너 대박났다. 뭐하는 사람이야?"

현우는 호텔의 황홀한 야경을 보며 믿기지않는 목소리로 물어봤다

재벌 드라마에서 보는 재벌 남자가 여자에게 프로포즈 하는 장소같은 느낌의 레스토랑으로 보였다. 그곳에서 사업가는 세친구와 사업에 대한 이야기를 나눴다.

사업가의 이름은 황성준

그는 사업가보다는 투자자라고 자신을 소개하였다. 초연이 듣기론 이해하기 어려웠지만 믿어보려했다.

그들은 생전 처음 보는 코스요리를 먹으면서 듣는 어려운 사업이야기들에 체할 것 같은 느낌이 들었지만 시골뜨기였던 그들에게 놓칠 수 없는 기회였다.

그 좋은 기회를 놓치고 싶지않아 세친구는 하고 있던 일을 중단하고 그를 따르기로 했다. 그가 분명 그들 인생에 좋은 길잡이가 되어줄 것 이라 생각이 들었기 때문이었다.

소희도 사업가인 그를 많이 의지하는 것으로 보였다. 사랑에 빠졌다고 보여졌달까?

"네 잘들어갔어요."

소희와 그의 통화는 초연이 옆에서 듣기에 꽤 달달한 느낌이었다. 소희 덕에 어렵지 않게

취업을 빨리 하게 되었다. 학원의 졸업장도 포기하고 그일에

매달리려 했다.

초연은 소희의 뒤를 보조하고 컨셉을 짜주는 일을 주로 해주었다. 그간 있었던 이상증상은 취업 스트레스로 인한 정신적인 문제였던 것 같았다 약을 주기적으로 먹어서인지 그런 이상한 존재와 이상한 행동들은 더이상 나타나지 않고 있다는 건 지금으로써는 행운이었다.

큰 프로젝트를 맡은 이 상황에서 다행이라며 인생이 그녀에게 지금 주는 행운은 항상 그녀의 편이 될 거라 생각했다.

지루하고 사소한 사업이야기들이 오고가지만 황성준이라는 이분은 술 먹고 노는 것을 가장 좋아하셨다 일은 즐기면서 하는 것 이라고 세 친구에게 신신당부 하셨다.

"오늘 사장님이 술 약속하셨어!"

소희는 들뜬 목소리로 초연과 현우에게 기분좋은 소식을 알렸다.

일을 진행하는 동안 호화로운 음식을 많이 먹었지만 소희는 그게 질리지도 않았나보다 오늘 술약속은 파티분위기일 거라며 방방 뛰는 모습을보고 초연은 피곤함이 좀 있었지만 가기로 하였다.

소희는 저녁에 입을 옷을 이리저리 살피며 뭐가 좋을 것 같냐며 초연에게 물어보았다.

"음.. 그래도 파티분위기라고하지만 너무 야하지 않고 격식있게 입어봐. 튀지 않는 이 블랙 드레스로 하지! 이게 예쁘겠다"

소희의 몸에 밀착되듯 타이트한 블랙원피스를 초연이 추천해주었다.

"그렇지? 블랙원피스가 기본이지"

라며 기분 좋은 말투로 말하더니 다이아 주렁주렁달린 고가의 목걸이를 보여주었다.

"이거봐. 무겁게 생겼지?"

손이 덜덜 떨리는 초연이였지만 소희는 그런것들이 게의치 않았나보다 고가의 물건을 아무렇게나 집어 목에 혼자 거는데 초연은 저게 혹시라도 망가지면 어떡하지..

라며 걱정이 앞섰다. 고가의 명품들을 황성준이라는 분에게 선물 받았는데 이제 그 비싼 것들이 익숙한것 처럼 보였다.

그래서 일까...고가의 목걸이는 소희에게 잘 어울려 보였다.

예쁜 원피스를 입는 소희의 반면 초연은 격식있어보이는 세트 정장을 입었다. 보통의 평범한 체격의 그녀였지만 허름해 보이고 싶진 않았다. 그나마 정말 잘 어울리는 옷으로 골라 입었다.

아일랜드 바에 술들이 질서 정연하게 놓여져 있는데 먹고 싶은 술을 골라 갈 수 있도록 세팅을 잘 해놓는 바텐더도 있었다.

클럽같은 이 안에는 사업가가 아는 인사들로만 채워져있었다 그리 많은 인원은 아니였다. 케쥬얼한 느낌이 많이 드는 곳이지만 초연은 부담스러움에 현기증이 느껴졌다.

초연은 구석에 앉아 사람들의 움직임을 보며 조용히 술을 호록호록 마시고 있었다. 현우도 뒤늦게 도착했는데 그는 눈이 밝은 사람이었다. 구석에 조용히 술 마시고 있는 초연을 금방 찾아내 술을 들고왔다.

"구석에서 뭐해? 구석에 찌그러져 있는게 제일 눈에 들어오냐.."

"아.. 점점 부담스러운 느낌이 들어."

초연은 좋은 기회를 얻은 거라 생각이 들었지만 파티를 시작하면서 부터 불안한 느낌이 들기 시작했다.

"뭐가 부담스러워? 그냥 술 먹고 노는 건데?"

"모르겠어 좋은 기회인게 맞는데..."

현우는 그런 그녀의 불안함을 이해 할 수가 없었다.

"쭈구리들 같이 있네.."

구석에서 조용히 있는 초연과 현우를 구박하는 목소리가 들렸다 소희였다

"우리보고 사장님이 따로 오래!"

그렇게 셋은 사장님이 있는 작은 방으로 들어가게 되었다.

방안에는 또다른 음식과 술들이 세팅 되어 있었다. 정갈한 칵테일 잔을 보아도 불안한 마음이 사그라들지 않았지만 초연은 그 진정되지 않는 불안함을 표현할 수 없었다

밝은 척 사장님을 주위로 앉았다. 소희는 사장님 옆에 찰싹 붙어 행복한 모습을 보이고 있었다.

그런 사장님은 소희를 많이 아끼고 있는 모습이었다.

"모두 고마워요. 저를 위해서 힘써주시잖아요. 대접을 하고도 내가 많이 모자라다고 생각해요. 고생한 보람을 꼭 느낄 수 있으면 좋겠어요."

그분은 항상 단정한 사람 흐트러지지 않는 사람이었다. 이 프로젝트가 끝나면 초연은 다른 시작을 해볼 심산이었기 때문에 미련이 없었지만.. 소희는 확실히 그분과의 사랑을 확신한 것으로 보였다.

"그동안 일 때문에 못 물어 봤는데.. 소희씨 통화 내역을 보니까 현우씨랑 소희씨는 통화를 많이 하더라구요. 일때문에 못 물어 봤는데 아주 가까운건 가봐요?"

라며 사장님은 현우와 소희의 잦은 통화를 물어 보았다.

"아.. 우리 셋이 같은 동네에서 자랐어요. 사장님이 동네 이름 들어도 모르실 엄청 시골 동네에요."

초연은 칵테일 한모금을 마시고 나서 현우와 소희 그들의 관계에 대해 털어놓았다.

"어? 사장님이랑 소희랑 서로 통화내역도 공유 할 정도로 오픈했나 보네요?"

라며 현우는 의아해 하며 물어 보았다.

"현우랑 통화 많이 하는 거 어떻게 알았어요? 통화내역을 어떻게 봐요?"

소희는 잔뜩 취한 목소리로 물어봤지만 사장님의 질문이 이상하다는 것은 느끼지 못한 것 같았다.

"왜요? 알면 안 되는 게 있는 건가? 사업상 알아 두면 좋은 것들 아니겠어요? 왜 그렇게 물어보는 거예요? 이상한 거야?"

이상한 것이긴 했다. 그런 모습을 보인적없는 그가 기묘하다라는 느낌이 들어도 표를 낼 수가 없었다.

"아.. 아니 이상하다는건 아니구요. 엄청 공유를 많이 하시나봐요 궁금해서 물어봤죠! 헤헤."

정색하며 이상하냐고 묻는 사장님을 향해 기분 풀려는 어투로 현우가 한마디 했다.

모두들 그 쎄한 분위기를 풀어 볼려고 애써보았다. 이 방안의 냉랭함과 불길함은 어떻게 풀어야 할지 모를 그런 분위기였다.

"아.. 그게.. 현우가 친구가 많아요.. 우리에게 묻는게 많은 아이에요. 저랑도 통화 많이 해요 우리 셋은 정말 가족처럼 자랐어요 엄마 아빠 랑 통화하는 거나 다름 없어요.. 이상하게 생각하실게 없으실 것 같아요."

초연은 겨우겨우 그 분위기를 풀어 보려 애썼다. 어찌보면 현우와 소희 사이를 의심하기라도 하는 것일까 싶기도 하였지만 분명 그건 아닐 거라고 믿고 싶었다.

그래야만 했다 앞으로 우리 인생에 놓여질 행복과 축복을 위해 그렇게 수습을 해야만 했다.

"아 그렇구나. 나는 뭐가 있는 줄 알았어. 그런 것 치고는 통화가 너무 많잖아"

사장님의 그 말을 듣고서야 약간은 그가 의처증이 있을지도 모른다는 느낌이 들 때였다.

방으로 누군가가 다른 술잔을 들고 왔다 네잔을 맞춰 들고 왔는데 술 색깔이 요란하게 화려했다.

"너네 쓸데없는 소리하지마!"

방금까지 한 대화가 성가신 소리로 들렸나 보다 취한 목소리로 소리지르더니

소희는 비틀거리며 일어나 직원이 가져온 쟁반을 뺏으려 했다. 그 비틀거리는 모습을 현우가 잡아주었다 술을 들고온 그는 소희와 현우를 피해 테이블에 술을 놓더니 인사를 하고 사라졌다.

"뭘 많이 탄 것 같이 생겼네..?"

초연은 술잔을 이리저리 들어보고는 혼잣말을 중얼거렸다.

"먼저 시연 해보라고 하고 싶었어요. 이것은 지금 이 사업이 끝나고 몇달 후에 런칭할 계획에 있는 술인데 먼저 먹어보고 평가 좀 해주겠어요?"

"아.. 이미 너무 마셨는데.. 이거 또 마셔?"

소희는 눈이 반쯤 풀리고 의자에 푹 기댄 얼굴로 또 뭘 마시냐며 칭얼거렸다.

요란한 색깔의 술이 못내 마음에 걸렸지만 한모금은 마셔보았다. 솜사탕 같은 술 맛에 계속 마시고 싶은 생각이 들었다.

"음 근데 술의 알콜맛 보다는 단 음료수 먹는 느낌이 들어요. 솜사탕맛 나는 음료수같네?"

초연은 솔직한 평가를 해주었다.

"그래요? 달다구요?"

그의 큰 눈이 초연에게 그말이 맞냐면서 물어보는 것이었다.

초연은 자신이 틀린말을 한 것일까?라는 기분이 들었다. 잘못 말하면 큰일 날 것 같은 긴장감을 티내지 않으려고 다시 말했다.

"네 달아요. 아니면 지금 취해서 맛 평가를 하기 좀 그렇긴 하다. 다음에 또 만들어 주세요. 그때는 제대로 평가해볼게요"

"캬악! 오빠 이거 진짜 맛있어요! 빨리 내놓아요!! 와 나 진짜 성공했구나 이런 맛있는 것도 먹어 보고.."

소희는 그 술을 원샷으로 물마시듯 한입에 들이켰다. 맛있다며 사장님의 허벅지를 찰싹 찰싹 때렸다. 이리저리 호들갑 떨며 사장님 어깨에 자신의 얼굴을 부비며 맛있다며 푼수같은 모습을 보였다. 처음보는 그런 푼수 같은 모습에 초연은 조금 창피한 생각이 들었지만 사장님은 차분하게 그 푼수짓을 받아주고 있었다.

"저도 평가해 볼게요. 술 색깔도 영롱하고 맛있어요. 엄청 잘 팔리겠다 무슨 아이스크림 먹는 것같은 식감이에요!"

현우 그의 입맛에도 꽤 맞는 것으로 보였다. 말은 그렇게 했지만 그는 한 모금 밖에 마시지 않았다. 그 술을 한 번에 다 들이킨 소희는 상태가 이상해졌는지 말도 없이 갑자기 밖으로 뛰쳐나가 버렸다.

비틀대는 이상한 몸짓으로 밖을 뛰쳐나간 소희를 잡으려 초연과 현우도 같이 따라 나갔다.

어느새 사라진 소희 때문에 초연과 현우는 서로 흩어져서 찾아 볼려고 했다.

갑자기 추태 부리는 소희가 당혹 스럽지만 어떻게든 찾아야 했다. 비싼 목걸이까지 차고 있는 그녀를 잃어버리면 큰일이었다.

그 작은 피티장 안 어딘가에 있을 것인데 빠른걸음으로 어디로 갔는지 여자 화장실부터 차근 차근 찾기 시작했다.

"그 정신 머릴 하고 어딜 간 거야.."

여기저기 찾아 보는데 바 밑 구석에 소희가 쭈그려 앉아있었다

"아이구.. 진짜 진상났네.."

초연은 쭈그려 앉아있는 소희를 발견해 다행이였지만 행사장 안에 몸에 밀착된 원피스를 입고 맨발로 돌아다닌 이 모습을 다른 사람이 봤을거라 생각하니 초연도 창피했다.

주위를 살폈지만 소희가 여기 쭈그려 앉아 있다는걸 몰라서 다행이라 생각이 들었다.

"아.. 지금 여기 어디야? 발 시려.."

소희의 발을 보니 걸어다니다 발에 뭘 밟았는지 피가 나고 있는데 발이시려운 거라 헛소리를 하고 있었다.

소희의 눈은 제정신이 아닌 것 같았다 눈을 제대로 떠 있는 모습이 아니었다. 본인 발을 부여 잡으며 피가 나고 있는데 초연이 유리라도 박혔는지 살펴봤지만 그냥 단순히 어딘가에 베인것 같았다.

겨우겨우 지혈을 하고 현우에게 전화를 걸었는데 현우는 전화를 받지 않았다.

전화를 안 받는 현우를 대신해 황성준에게 전화를 걸었다.

"소희 찾았어요 바 밑에 앉아 있었어요 저희 먼저 들어갈게요. 민폐를 끼쳤네요."

"아니에요 제가 갈게요."

라며 얼마 안있다 그가 찾아와 소희를 데려갔다. 그렇게 보내도 됐었는지 모르겠다.

그렇게 그들을 보내고 현우에게 통화를 다시 시도 해보았다.

아까 갔던 작은 방에 다시 갔을때 직원들이 방을 치우고 있었지만 현우는 보이지 않았다.

"아.. 진짜 너무하네.. 술 취해서들.."

초연은 갑자기 짜증이 났지만 집에 가고 싶은 마음에 현우에게 문자를 보냈다.

'소희 찾았어. 그만 찾고 너도 집에 들어가! 내일 연락해! 이문자 봤으면 전화 좀 하고!!'

라고 그것이 끝이었다.

그 다음날 현우를 다시 본 것은 영안실에서 차가운 모습으로 누워 있는 모습이었다. 눈뜰 것 같은 얼굴을 하고 있는데 죽었다는 게 믿을 수가 없었다.

소희랑 초연은 서로 부둥켜 안고 그 얼굴을 보며 울 수 밖에 없었다.

"내가 그때 정신 차리고 있었어도.."

"아냐.. 나도 잘 챙겼어야 했어. 다 잘못한 거야.."

서로 잘못했다며 울기만 했다.그렇게 현우의 시체를 확인하고 그녀들은 밖에 나와서도 이 상황을 어떻게 설명해야 할지 몰랐다.

현우가 죽기 전까지 같이 있었던 사람이었기 때문에 조사를 받아야 했다.

사장님과 연락이 되지 않는다는 수희는 걱정과 불안의 눈빛이 역력했다.

"바쁘시겠지. 사실대로만 말하면 되는 거잖아"

"호텔 갔었는데 아침에 일어나니까 없었어.. 집에 가볼까?"

현우의 죽음 소식과 함께 연락이 되지 않는 황성준까지.. 말로 표현이 안 될 이상한 기분이었다.

그럴 기분을 느낄 찰나도 없었다. 형사들의 질문에 어질해졌
다.

"약을 했다거나 그런 건 없었나요? 정말 술이였나요?"

라는 경찰의 질문에 초연은 놀랐다.

"그런 건 없었어요.. 칵테일 이런 것들이랑 사장님이 새로 런칭
예정인 술 이런 것 밖에 없었어요. 그걸 먹고 평가해드리고 있었는
데 이 친구가 술을 너무 많이 마셔서 밖으로 뛰쳐나갔어요. 그렇게
찾아다니다가 겨우 발견했고 소희 찾았다고 현우에게 전화를 걸었
는데 전화를 받지 않았어요. 전화하다가 너무 지쳐서 찾았으니 집
으로 돌아가라고 문자를 보냈어요."

초연은 차분하게 상황을 말했다.

"소희씨는 현우씨랑 통화한 게 기억이 납니까?"

"현우가 전화왔는지도 몰랐어요. 전화비슷한걸 받은것 같았는데..
무슨 말 했었는지 생각나는 게 없어요"

"소희씨랑 현우씨가 마지막으로 통화를 한 기록이 있는데 무슨
대화를 나누셨는지 기억이 안 난다는 건가요?"

소희는 그 말에 울고 말았다. 전화를 제대로 받지 못했기 때문에
죽은 것일 거라고 자책을 하게 되는 것 같았다.

"사장님이 소희를 데려 갔어요. 현우씨 전화를 못 받았을 거예
요."

"둘은 통화를 하셨어요. 근데 통화내용은 확인 할 수가 없어요.
1분 가량이요.. 무슨 대화가 있었는지.."

초연은 그의 말에 눈앞이 캄캄해졌다. 소희가 기억을 못하는

이상 초연도 더이상 무슨 말을 해야 할지 모르는 상황에 처했다. 그래도 한마디 해야 했다.

"저희를 의심하시는 것 아니죠? 저희는 그친구를 죽일 이유가 없어요. 사고 인지 누가 살해한 것인지 밝혀주셔야죠. 우리를 의심하는 것처럼 들려요."

"의심하지 않아요. 물어보는 거예요."

라며 형사는 그렇게 말했지만 아무리 생각해도 의심하는 느낌이 들어버렸다.

형사와 그날 있었던 일을 몇 번이고 반복하고 말해야 하는 답답함이 있었다.

사건에 대한 해결에 의지도 없었던 것으로 보였다.

"초연씨는 보니까 정신병원에서 약을 처방받은 이력도 있으시네요? 왜죠?"

"제가 개인적으로 취업 스트레스로 생긴 우울증 때문에 먹은 거예요."

"음.. 제가 생각했을 때는 그게 아닌 것 같은데요. 병원에 물어보니까.. 초연씨는 해리성인격장애가 있다고 가벼운 증상이라 약 처방을 받으려 자주 오셨다고 하시던데.. 맞나요?"

"제 친구 죽인 범인을 잡으셔야죠. 왜 저희를 자꾸 추궁하세요? 거기에 CCTV도 있었을 거예요. 살펴봐 주세요."

"그곳은 사장님 개인 별장 같은 곳이라 CCTV가 없어요. 단순한 질문을 드리는 건데 이상한 반응을 하시는데요?"

초연은 잠시 멍해졌다. 그렇다면 그 범인을 찾을 수가 없는 것이라는 뜻도 있었다.

현우가 왜 죽었는지 영영 모르게 되는 대참사가 일어날 수 있었다. 부검을 해봐달라고 하고 싶지만 죽은 현우에게 그런 행위는 하고 싶지 않은 마음이었다.

현우를 본 순간은 그게 다였다. 어떻게 보내야 할지 모르겠다. 경찰서 안에 갇힌채로 했던 말을 또 해야하는 지독한 상황이 이어졌다. 느끼기엔 범인이 소희와 초연 이여야만 하는 상황을 만들려는 건 아닌지 불신까지 들었다.

그 불신이 초연의 확신이 된 것은 다음날 경찰서 안의 조그만 TV에서 알게 되었다.

TV에는 사장님의 별장에서 사람이 죽은 사건이 일어났고 단짝 친구인 여성이 그를 살해했다는 뉴스가 나오고 있던 것이었다.

그곳은 그날 뒤풀이 파티가 있던 곳으로 보이는데 초연은 뒤통수를 맞은 느낌이었다.

'아니.. 아직 사고사인지 뭔지도 모르는데 왜 벌써 범인이 소희야?'

소희는 인플루언서라는 직업을 갖고 있었기 때문에 모자이크 처리를 했지만 누구나 유추가능한 사진으로 방송에 전파를 타고 있었다.

소희는 그것도 모른채 잠에 들어 있는데 초연은 정신이 아찔해졌다.

초연은 소희의 SNS를 켜보았다 벌써 소희사진 밑에 그녀를 욕하는 댓글들이 가득했다.

-이사람이 그 뉴스에 그년 아닌가요?

-살인마..

-세상에 이런 정신나간 년이 성공하는 시대라니..

-예쁜것은 같은데 인성은 못됐네요 친구를 죽이다니..

-세상이 말세야..

-누가 봐도 악랄해 보이는데요?

-사업가는 호구네 이런 년이랑 사업을 하려 했다니..

-약을 한거 아닌가요? 약을 한 눈이네요

-술에 취해 저지른 실수즈음? 심신미약이라 하려나?

-죽은 친구만 불쌍하다 꽃뱀상이야.

소희가 이것을 보게 된다면 굉장히 상심이 클 것이라 생각했다. 고통스럽고 원망스러웠다.

제대로 알고나 글을 쓰는 것인지 그래도 이악물고 참아 보려 했었다.

초연은 사장님에게 전화를 걸기 시작했다 이것은 누명이라고 밝혀내겠다는 다짐을 했다.

그렇지만 이내 상심할 수 밖에 없었다. 연락이 전혀 되지 않았다. 약속했던 우리들의 프로젝트는 어떻게 되는 것인지 막막했다, 정말 이대로 망해야하는 걸까.

악몽같은 아침인데.. 말끔한 차림을 한 젊은 검사가 소희와 초연을 찾아왔다.

소희를 먼저 데려갔는데.. 걱정이 되었다. 누군가 누명을 씌우려 하는게 분명한데 황성준이란 사람이라는 게 의심이 안 들 수가 없었다.

"형사님 사장님은요? 왜 안계세요? 같이 계셨는데 조사를 받는 게 아닌가요?"

"그걸 말해줘야 하나요?"

매정한 대답을 보며 더욱 암담한 현실을 맞게 되었다 생각하였다.

그 조용한 순간에 전화가 울렸다. 현우의 어머니셨다. 슬픔에 잠긴 목소리로 현우가 어찌된 일인지 물어보셨다.

"어떻게 된 거야? 정말이야?"

믿을 수 없으실 게 당연하셨다. 초연과 소희도 어제까지 같이 즐겁게 놀았는데 이제 우리에게 좋은 순간이 올 거라는 기대가 있었는데..

하루아침에 그를 잃어버렸고 죄책감이란 지옥이 시작되어버렸다. 이제 이 누명을 벗기기 위해선 길고 긴 싸움이 시작되어야했다.

이미 뉴스는 저렇게 전파를 탔고 인터넷상에는 소희의 살인이 기정사실인 마냥 떠들어대고 있었으니..

친구를 살인한 살인마라는 꼬리표를 달고 살 거라는 것.. 그 무시무시한 것과의 싸움이었다. 하지만 그것은 잠깐의 걱정일 뿐이었다, 그나마 다행인 일이었다.

시간이 좀 지나서 소희는 다시 경찰서 안으로 돌아왔기 때문이었다. 모든 조사를 마쳤다며 형사는 집으로 돌아가라는 말을 하였다.

믿을 수 없는 와중이지만 그래도 집으로 돌아가 쉴 수 있다는 건 그나마 다행이었다. 그렇지만 돌아가는 길마저도 편안할 수 없었다. 그이유는 사람들의 무서운 시선이었다

소희의 얼굴사진과 함께 인터넷에 안좋은 소문은 실시간으로 삽시간에 퍼져있었으니 그것은 큰일일 수 밖에 없었다.

"나 이제 어떡하지?"

라며 소희는 말을 꺼냈다.

"SNS 보니까 다들 나를 살인마래.. 정말 내가 죽인 걸까? 술 먹고 나서 일어났을 때는 사장님 집이었는데. 아무도 없었으니까.."

"아휴.. 아닐 꺼야. 우리 더러 돌아가라고 했잖아. 그럼 어떻게 된 일인지 알게 될 거야. 증거도 없는데 어떻게 니가 살인마야 오보라고 정정해달라고 해보자. 아직 정확히 결과가 나온 게 하나도 없잖아. 누가 누구를 욕하는건데.. 그런 거 신경쓰지 마."

"아무래도 나일 수도 있잖아 그치?"

소희는 자신이 저질렀을 거라는 확신을 갖고 있었다. 아무것도 밝혀진 게 없었다.

정신적인 충격이 크고 그날 술을 많이 마셔버린 탓에 심신이 불안히디는 생각도 해보았다.

긴 시간을 같이 보내온 친구였으니까.. 초연 또한 그를 그렇게 보낼수 없지만 진정해야 한다. 초연의 마음으로는 그럴리가 없을 것이니까 소희를 차분히 달래보았다.

집 앞으로 들어가려는데 지나가는 사람들의 눈초리가 이상했다.

뭔가 두 사람을 보고 수근대는 모습이었다. 뉴스에 인터넷에 지

금 살인사건이 보도되고 있으니 알 수밖에 없겠다.

"쟤 그 친구 죽였다는 사람 아니야? 왜 밖을 돌아다니고 있는거야? 저렇게 버젓이 돌아다녀도 되나?"

"몰라 모른척해 우리 쳐다보면 어떡할려고.."

그 수근대는 소리가 초연의 귀에 들렸지만 초연 또한 그사람들처럼 모른척이 최선이었다.

소희는 더욱더 고개를 숙이며 울고 싶은 감정을 억누르고 있었다.

아직 밝혀진 것도 없이 그렇게 보도가 되어버린 것.. 인터넷에 소희의 신상이 퍼져 있는 것에 분개하고 싶었다.

하지만 현우의 죽음이 밝혀진다면 그때 해도 늦지 않을거라고 생각이 들었다.

집에 도착했을때 소희는 또다시 휴대폰을 열어 다시금 댓글들을 확인했다.

초연이 이를 미처 말리지 못한 걸 후회하고 말았다. 소희는 결국 그 댓글들을 보며 더 크게 오열하고 말았다. 예쁜 얼굴이 금새 통통 부었다. 그 슬픔과 정신적 충격은 예쁜 얼굴이 감당하지 못했나 보다 이틀 사이 매우 수척해진 모습이었다.

"이제 우리 어떡해? 사장님이랑 연락도 안되고.. 뉴스에 저렇게 나버리고 나 기억 안나는 동안 현우 죽었으면 어떡해..?"

"그럴리야 있겠어? 아니야 절대 아니야. 꼭 밝혀낼 거니까 겁먹지 말자.! 우리 보내준 거 보니까 아닌건 확실한 거야. 정신차려 그럴리 없다고 계속 말해줬잖아. 이제 그만해.."

"모르겠어.. 왜 이렇게 된 건데.."

"울지마. 나도 어떻게든 수습해볼 거니까 너도 그때 무슨 통화를 했는지 기억해내 봐. 그러면 좀 알아 낼 수 있는 게 있을 수 있어."

"나 아까 그 남자들 앞에서 마약 검사까지 했어."

"우리가 무슨 마약을 했어? 이상한 놈들이네 그걸 왜 해?"

초연도 울고 싶은 심정이지만 겨우 억누르고 소희를 달래주었다.

집으로 돌아온 이상 우리는 혐의가 없는 것이었다. 뉴스에 보도된 것만 어떻게든 해야겠다 생각이 들었다.

뉴스에 정정 보도를 내달라는 전화를 해보았지만 그날 정정 보도라는 것은 없었다. 소희가 현우를 죽였다는 건 기정사실화된 인터넷상의 현실을 보고 억장이 무너져서 아니라고 해보겠다는 의지가 꺾여버렸다.

소희는 SNS에 올라오는 악플들 때문에 상처를 많이 받은 모습이었다.

댓글들을 표정없이 보며 하나하나 읽어 가며 감정을 잃은 것 같은 눈빛에 초연은 도저히 안 되겠는지 휴대폰을 빼앗았다.

"그만 봐. 이런 거 본다고 해결돼? 어차피 우리 알지도 못하고 질르고 보는 거잖아 화풀이 대상으로 보고 그러는 거잖아. 사장님 연락 될 때까지 좀만 참자. 아니면 글을 남기자 니가 죽인 게 아니라고 잘못 보도 된 것 같다고 글을 올리자 일단 그것부터 하자."

초연은 소희가 SNS에 자신의 억울함을 남겨주길 바랐다.

소희는 어떻게 글을 써나가야 할지 모르는 것 같았다. 어리버리해져버린 그 모습 때문에 초연은 답답했는지 본인이 대신 써줄 려고 했다.

소희는 다시 초연의 휴대폰을 빼앗았다. 초연도 질 수가 없었는지 다시 소희의 휴대폰을 뺏어 글을 쓰려 했다. 키가 큰 소희가 결국 이겨 버렸다.

"아니야. 그냥 이거 없앨래.."라며 소희는 자신의 SNS 계정을 탈퇴 해버렸다.

일을 크게 만들고 싶지 않은 소희의 심정을 알고 있지만 이 상황을 아니라고 해명하는 것이 더 정당하다고 생각했다. 그래야만 하지 않았는가?

그런 초연과 달리 소희는 조용히 있고 싶은 것 같았다. 무슨 일이 있어도 흔들리지 않을 여자라고 생각했었는데..

숨어버리는 건 인정하는거나 마찬가지일 수도 있지 않을까..

소희의 그런 행동이 이해가지 않지만 아무것도 밝혀진게 없는 이 상황에 할 수 있는 것은 조용히 이 시간이 지나가길 바라는 것 뿐이었다.

소희는 방에 들어가 자야겠다며 축 처진 모습으로 자신의 방에 들어가버렸다.

소희 그녀가 처한 상황은 어떤 말로도 위로 할수 없게 당연했다. 행복했던 시간 뒤로 갑자기 이런 일들이 벌어져 버렸다는 것은 누구도 알 수 없었으니까..

초연도 한숨 돌리려고 부엌에서 물을 한잔 마셨다. 눈 앞에 나타난 현실이 현실이 아니길 간절히 바랐다. 어제로 돌리고 싶었다. 현우를 다시 볼 수 있는 순간..

당연히 그럴 수는 없는 것이었으니 초연은 자신이 한없이 무능하다고 느꼈다.

그 이틀간의 시간 동안 잠을 못자서였는지 갑자기 졸리기 시작했다. 초연은 결국 거실에 바닥에 누워 잠을 청했다. 그러기를 얼마나 지났을까.

얼마 못 자고 금세 눈을 떠버린 것 같았다. 눈을 뜨자 밖은 꽤 어둑한 새벽이었던 것 같았다.

소희가 걱정되어 소희의 방을 노크해 보았다.

똑똑

소희는 대답이 없었다 아무래도 깊이 잠든것 같았다 너무 힘들었던 하루였으니까..

"자고 있어? 나 좀 들어갈게.."

라고 방을 열었더니 소희는 목을 맨 채 공중에 둥둥 떠다니고 있었다.

힘없이 축늘어져버린 예쁜 팔 다리를 보고 있자니 놀라지 않을 수가 없었다.

그 광경에 소리도 지를 수 없었다. 일단은 구급차를 불러야 한다는 생각 밖에 없었다.

그 시간은 찰나였던 것 같았다. 소희의 예쁘고 단정한 그 얼굴 위로 흰 이불이 덮어져 실려나갔고 어느새 친구 둘을 잃은 고통에 타락하고만 인간이 되어 있었다.

초연은 그 후로 집 밖을 나갈 수가 없었다. 소희의 장례식도 현우의 장례식도 갈 수 없었다.

친구 둘을 허망하게 잃어버린 사람이라는 게 실감이 나버릴 것 같아 그들의 마지막을 더 볼 수 없었다.

다행이라는 것은 소희의 자살소식이 언론에 알려지는 바람에 정정된 보도가 전파를 탔다. 현우가 사고사였지만 기자의 잘못된 제보를 제공받은 것으로 오보라고..

그나마 다행이라고 할 수 있는 것이었달까.

분노하고 싸울 준비가 되어 있었는데.. 그 의지는 는 이제 허탈함이라는 감정만이 채워져 있었다.

다시 돌아온 초연의 고향 집에 그저 갇혀있다. 초연은 그들을 잃은 시간 속에 휩싸여 헤어나올 수 없었다. 싸우려고 해보았다, 하지만 이내 포기할 수 밖에 없었다.

그 긴 싸움을 시작한다 해도 그 무엇도 현우와 소희를 돌려줄 수 없기 때문이었다.

긴 트라우마에서 깨 겨우 인터넷을 검색하며 새 시작을 하려는데 어느 뉴스 한 귀퉁이에는 이런 것이 있었다.

초연과 소희가 런칭 하려던 브랜드 대표인 황성준은 불운한 사건을 딛고 새 시작을 하는 대표로 이미지 메이킹 되어 브랜드 홍보를 하고 있었던 것..

초연과 소희의 연락을 끊고 한동안 잠적해서 볼 수 없던 그는 초연이 만든 컨셉을 하고 새로운 시작을 하고 있는 모습에 또 다른 허망함을 느꼈다.